KU-104-090

LES FONDAMENTAUX
LA BIBLIOTHÈQUE DE BASE DE L'ÉTUDIANT
— 1er cycle —

LA FRANCE DANS LE MONDE AU XXe SIÈCLE

Philippe Moreau Defarges
Conseiller des Affaires étrangères
Professeur à l'institut d'Études Politiques de Paris
Chargé de mission auprès du Directeur de
l'Institut Français des Relations Internationales

HACHETTE

LES FONDAMENTAUX
LA BIBLIOTHÈQUE DE BASE DE L'ÉTUDIANT
— 1er cycle —

Dans la même collection :

1 • *Comprendre la formulation mathématique en économie* (D. Schlachter)
2 • *Relations économiques internationales* (J.-L. Mucchielli)
3 • *Économie politique / 1. Introduction et microéconomie* (J. Généreux)
4 • *Économie politique / 2. Macroéconomie et comptabilité nationale* (J. Généreux)
5 • *Économie politique / 3. Les politiques en économie ouverte* (J. Généreux)
6 • *Le Conseil d'État, son rôle, sa jurisprudence* (B. Stirn)
7 • *Les institutions de la Vᵉ République* (Ph. Ardant)
8 • *Problèmes stratégiques contemporains* (Ph. Moreau Defarges)
9 • *La fiscalité en France* (P. Beltrame)
10 • *La responsabilité administrative* (M. Rougevin-Baville)
11 • *L'héritage institutionnel français. 1789-1958* (F. de La Saussaye)
12 • *Introduction à la science politique* (J.-M. Denquin)
13 • *L'économie mondiale / 2. De 1945 à nos jours* (Y. Crozet/C. Lebas)
14 • *Relations monétaires internationales* (C. Nême)
15 • *L'économie mondiale / 1. De la révolution industrielle à 1945* (Y. Crozet)
16 • *Introduction à l'étude du droit* (J.-C. Ricci)
17 • *La Constitution commentée article par article* (S.-L. Formery)
18 • *Finances publiques : le budget de l'État* (J. Mekhantar)
19 • *Les collectivités territoriales en France* (E. Vital-Durand)
20 • *Comprendre les mathématiques financières* (D. Schlachter)
21 • *Monnaie et problèmes financiers* (M. Dévoluy)
22 • *Contentieux administratif* (Turpin)

ISBN : 2-01-021191-X

© HACHETTE Livre, Paris, 1994.

Tous droits de traduction, de reproduction et d'adaptation réservés pour tous pays.
La loi du 11 mars 1957 n'autorisant, aux termes des alinéas 2 et 3 de l'Article 41, d'une part, que les « copies ou reproductions strictement réservées à l'usage privé du copiste et non destinées à une utilisation collective » et, d'autre part, que les analyses et les courtes citations dans un but d'exemple et d'illustration, « toute représentation ou reproduction intégrale, ou partielle, faite sans le consentement de l'auteur ou de ses ayants droit ou ayants cause, est illicite » (alinéa 1er de l'Article 40).
Cette représentation ou reproduction, par quelque procédé que ce soit, sans autorisation de l'éditeur ou du Centre français du Copyright (3, rue Hautefeuille, 75006 Paris), constituerait donc une contrefaçon sanctionnée par les Articles 425 et suivants du Code pénal.

Table des matières

Introduction

En ces années 1990, la France reste l'un des cinq membres permanents du Conseil de sécurité de l'Organisation des Nations unies. Elle dispose d'une force de dissuasion nucléaire indépendante. Elle est, avec les États-Unis, le Japon, le Canada, l'Allemagne, la Grande-Bretagne et l'Italie, l'une des sept principales démocraties industrielles (G7). Au sein de l'Union européenne des Douze, la France est, avec l'Allemagne et la Grande-Bretagne, l'un des trois partenaires décisifs. Enfin la France garde, dans le Maghreb et dans l'Afrique francophone au sud du Sahara, une zone d'influence. Bref, la France se perçoit comme une grande puissance.

Pourtant, tout au long du XXᵉ siècle, la France a traversé des épreuves qui l'ont presque détruite : d'abord et surtout la boucherie de la Première Guerre mondiale et l'illusoire victoire de 1918 ; le désastre de 1940 ; la perte de l'Empire avec la douloureuse décolonisation ; les guerres d'Indochine (1945-1954) et d'Algérie (1954-1962). La France a failli être dépecée (en particulier si l'Allemagne d'Hitler l'avait emporté). Elle a tout de même survécu et s'est remarquablement modernisée, surtout depuis 1945.

Depuis les années 1970, après l'euphorie des Trente Glorieuses (1945-1975), la France est entrée dans une période de plus en plus perturbée : chocs économiques internationaux, croissance plus incertaine, montée du chômage, effondrement du système Est-Ouest, unification de l'Allemagne. D'où des interrogations, des doutes sur le poids de la France, son rôle, son influence, sa capacité à s'adapter au monde actuel.

L'objet de cet ouvrage est d'analyser, d'évaluer les rapports de la France au monde. Il convient d'abord d'étudier l'impact de l'histoire, les images et les réactions qu'elle a laissées (chapitre I). La France se définissant comme une grande puissance, quelles sont les marques et les réalités de cette puissance (chapitre II) ? Au-delà de la puissance, la France se veut porteuse d'un message universaliste par ses idées et sa culture ; quel est, en cette fin de XXᵉ siècle, le rayonnement de ce message, de cette culture (chapitre III) ? Mais il n'y a pas de puissance sans support matériel : quelles sont les forces et les faiblesses de l'économie française dans son insertion dans les échanges internationaux, qu'il s'agisse du commerce, des investissements, des capitaux (chapitre IV) ? Enfin, depuis 1950, toutes les relations de la France avec l'extérieur se trouvent transformées par le choix qu'elle a fait dans les années 1950 : promouvoir l'unification européenne et s'intégrer dans cet ensemble à venir. Pour la France, jalouse de sa souveraineté, c'est là une rupture historique. Que signifie ce choix ? En quoi change-t-il la France et les Français (chapitre V) ?

— 1 —

L'héritage

La position de la France dans le monde, en cette fin de XXe siècle, est le produit d'une histoire. Celle-ci a façonné à la fois les perceptions qu'ont les Français de l'extérieur, mais aussi les représentations que les étrangers ont de la France. Ces visions ne sont ni cohérentes, ni immuables ; au contraire, elles sont des nœuds de contradiction et se modifient en fonction des événements et des réalités.

Cet héritage, qui évolue avec le temps, s'organise autour de cinq grands repères : l'enracinement terrien de la France ; la catholicité ; l'âge d'or de la Raison ; la Révolution française ; enfin, le poids des défaites et, aujourd'hui, surtout celle de juin 1940. Ces différents repères structurent l'identité de la France et ses rapports avec le reste du monde. Il en résulte non une idée cohérente et fixe de la France, mais au contraire un jeu kaléidoscopique d'images se complétant, se contredisant, mêlant et dissociant la France rayonnante de Louis XIV et des Lumières, la France révolutionnaire, berceau des droits de l'homme, la France humiliée de 1870 et 1940, la France renaissante de 1945.

I - LA FRANCE, NATION TERRIENNE

L'enracinement terrien de la France constitue peut-être l'élément le plus ancien de son rapport au monde.

A/ La terre et l'esprit national

Dans l'imaginaire national (comme dans celui d'autres peuples, Russes, Chinois, etc, qui, tout au long de leur histoire, restent comme prisonniers de leur combat avec la terre), celle-ci est la référence. Elle apprend à l'homme la peine. La terre est la vraie richesse, selon le courant physio-cratique qui fonde, dans la seconde moitié du XVIIIe siècle, l'économie politique française. Surtout, au XIXe siècle, le sol s'impose comme le fon-dement de l'identité nationale. Dans son « Tableau de la France » qui figure dans sa monumentale *Histoire de France*, après les deux premiers livres sur l'Antiquité et le haut Moyen Age, Michelet montre l'identité française comme le produit d'une interaction permanente entre l'homme et son milieu, d'où se forme une entité : la France. Trois quarts de siècle plus tard, dans la France hantée par la perte de l'Alsace-Lorraine, et où s'installe difficilement la République, Ernest Lavisse ouvre son *Histoire de la France* par le « Tableau de la géographie de la France » de Paul Vidal de La Blache (1903) : « La France est là dès le départ, avant l'his-toire, dans ses contours, son territoire, son caractère. » À la même époque, Maurice Barrès est le grand écrivain de « La terre et des morts » : l'indi-vidu n'est rien s'il ne s'enracine pas dans la longue chaîne des générations inscrites dans un milieu vivant (*Les Déracinés*, 1887 ; *La Colline inspirée*, 1913).

Au lendemain de la défaite de 1940, la terre qui, selon Pétain, « ne ment pas », s'impose, dans la propagande de Vichy, comme le refuge, la source des valeurs authentiques.

Comme le dénonce Auguste Detœuf dans ses admirables *Propos d'un confiseur* (1937), les Français, qui comptent pourtant des ingénieurs et des entrepreneurs de génies, « n'aiment pas leur industrie », activité commer-çante, manipulatrice d'argent et... américaine. Le Français « considère avec un certain scepticisme le développement du machinisme et les progrès de cet ordre dans lequel il lui arrive souvent de créer et de dormir sur son œuvre, laissant aux autres le soin et le profit de s'en servir » (Paul Valéry, « Images de la France », 1927).

La foi du Français dans la terre conduit à penser la France comme une marqueterie de champs et de prés. Versailles et son parc ne symbolisent-ils pas une France parfaite ? La terre n'est pas cette présence énigmatique, brutale, indomptable qu'elle est pour les hommes des vastes espaces (Amérique du Nord, Asie continentale) ; au contraire, pour les Français, la terre est une compagne proche, âpre mais fidèle, apprivoisée depuis des siècles.

Ainsi que l'illustrent ses traces, la colonisation française, dans sa part la plus noble, organise l'espace, construit des routes, des ponts, des voies de chemin de fer, bref aménage la terre.

Pour l'Allemand romantique, la terre s'identifie à la forêt, lieu d'une pureté perdue, masse nocturne gardant les mystères de l'homme, peuplée de magiciens et de sorciers. Pour le Français classique, la terre n'existe qu'humanisée, cessant d'être « nature » pour être « culture » (jardin ordonné à la française, s'opposant au jardin à l'anglaise, « anarchique », comme la nature). Ainsi, du point de vue de la conception de la nation, la France met en avant l'ancienneté de son unité géo-politique, tandis que l'Allemagne, unie tardivement, privilégie pour principe identitaire le lien ethnique. Bref, le sol contre le sang.

B/ Les Français, la mer, la colonisation

« Coincée entre la mer et la terre, la France penche vers cette dernière [...]. Les Français ne connaissent point les voies de la mer », déclarait tristement Philippe Auguste [...] en 1204 (Fernand Braudel, *L'Identité de la France,* Tome I, « Espace et Histoire », p. 292, 1986).

La France a de remarquables navigateurs — de Jacques Cartier à La Pérouse ou à Suffren —, de grands colonisateurs — de Dupleix à Lyautey. La mer, du XVIIᵉ siècle jusqu'au début du XIXᵉ, oppose la France à son ennemi héréditaire, l'Angleterre. Mais la France connaît là l'un de ses désastres (traité de Paris, en 1763, cédant à l'Angleterre le Canada et les possessions de l'Inde, sauf les cinq comptoirs). Au XIXᵉ siècle, la France, en Algérie, en Indochine, en Afrique noire, reconstruit un empire colonial, souvent dans un esprit de compensations : Charles X cherche, en juin 1830, un succès de prestige dans la conquête de l'Algérie ; la France vaincue de 1870, consciente de ne pouvoir battre seule l'Allemagne, trouve en Afrique une nouvelle vocation impériale avec les encouragements de Bismarck.

La colonisation reste l'aventure de quelques centaines ou milliers d'hommes : des ministres (Ferry le Tonkinois), des militaires, des marins, des administrateurs, etc. L'armée d'Afrique est regardée avec condescendance par celle des frontières qui, elle, se tient l'arme au pied, l'œil fixé sur la ligne bleue des Vosges, vers l'Alsace-Lorraine perdue. Les colonies accueillent ceux dont on ne sait que faire : Alsaciens refusant le joug allemand, anciens communards, fils de famille incapables... Ces colonies éveillent d'intenses passions — le « mal jaune » des « Indochinois » —, mais restent lointaines, exotiques (à l'exception, sans doute, de l'Algérie). Beaucoup de colonisés aiment la France, meurent pour elle lors des deux guerres mondiales ; mais les Français comprennent mal que tant de sacrifices puissent être récompensés par des droits politiques... ou par l'indépendance.

Par ailleurs, les Français répugnent à émigrer. Aux XVIIe et XVIIIe siècles, l'envoi de colons en Amérique se fait souvent par la force : à la fin du XVIIIe siècle, les Français ne sont que 100 000 dans le Nouveau Monde, tandis que les Espagnols sont deux millions et les Anglais presque aussi nombreux. Au XIXe siècle, alors que l'Europe dont la population explose exporte ses excédents d'hommes, notamment vers l'Amérique, la France, qui a été le colosse démographique de l'Europe pendant trois siècles, voit diminuer le nombre de ses naissances ; les Français s'expatrient en petit nombre. À l'exception de l'Algérie, les Français s'implantent peu dans les territoires qu'ils conquièrent.

C/ Les frontières

Enfin la France regarde vers la terre à cause des menaces d'invasion. Au Moyen Age, au temps de la guerre de Cent Ans, l'Anglais — c'est-à-dire les Plantagenêt, de souche française — n'est pas tout à fait un envahisseur ; c'est un cousin encombrant, qui, par ses mariages, dispose de droits sur des provinces ou sur la couronne. Puis la rivalité franco-anglaise se déplace vers les océans.

Pour la France moderne et contemporaine, l'envahisseur vient toujours du nord ou de l'est, depuis les Impériaux lors de la guerre de Trente Ans, jusqu'à la Wehrmacht en 1940. De plus, Paris, cette capitale autour de laquelle se fait la France, par sa localisation, s'offre aux invasions. Prendre Paris, c'est tenir la France. D'où l'acharnement de Bismarck lors du siège de 1870, les batailles de la Marne en 1914 et 1918, l'écho funèbre de l'entrée de l'armée allemande dans Paris le 14 juin 1940.

Cette hantise de l'invasion, la mémoire de la Gaule, le rêve de donner à la France une forme parfaite engendrent tardivement le projet des « frontières naturelles », attribué (à tort) à Richelieu, en fait formulé lors de la Révolution française : « Les limites de la France sont marquées par la nature. Nous les atteindrons dans leurs quatre points : à l'Océan, au Rhin, aux Alpes, aux Pyrénées » (Danton, 31 janvier 1793). Mais la France échoue à faire du Rhin la ligne de séparation entre elle et l'Allemagne. Dans l'entre-deux-guerres, la ligne Maginot est une tentative partielle et peut-être désespérée pour réaliser artificiellement cette barrière qui interdirait toute invasion.

En cette fin de XXᵉ siècle, dans une France industrialisée, urbanisée, ouverte, voyageuse, réconciliée avec l'Allemagne, que subsiste-t-il de cet enracinement terrien ?

Des réflexes, des représentations... Comme le rappellent des publicités, la tranquillité, l'harmonie, pour les Français, s'identifient toujours à un village, à son clocher, à la « douce France » de Charles Trenet. De même, si les Français n'ont jamais autant visité le monde pour leurs vacances, ils restent un peuple sédentaire. Enfin la peur de l'invasion disparaît-elle ou se déplace-t-elle ?

II - LA FRANCE, FILLE AÎNÉE DE L'ÉGLISE

Clovis est le premier roi chrétien catholique dans une Europe pénétrée par l'hérésie d'Arius. Aux XIVᵉ-XVᵉ siècles, la France devient « la fille aînée de l'Église ».

Cette trace chrétienne qui, en cette fin de XXᵉ siècle, paraît s'effacer, est pourtant très profonde. Un village, c'est d'abord une église entourée de maisons. La splendeur des cathédrales évoque la grandeur du Moyen Age, la France, pays de monastères et de croisades. Dans la mémoire française, Jeanne d'Arc reste l'une des figures majeures, incarnant l'alliance entre la terre française et Dieu.

A/ La catholicité, composante de l'ordre monarchique

À l'époque de la monarchie, l'Église catholique est l'un des piliers de cette configuration hiérarchisée qu'est le royaume de France. Le sacre à Reims, de Philippe Auguste à Charles X, à la fois fait le roi (Jeanne d'Arc conduisant Charles VII à Reims) et rappelle au monarque son devoir de maintenir le peuple de France dans l'union avec l'Église.

Mais la catholicité française a deux caractères pouvant entrer en conflit : elle signifie d'une part l'appartenance à une communauté se voulant universelle et dirigée par l'héritier de saint Pierre, le pape ; d'autre part, source de légitimité, instrument d'autorité, elle doit rester au service du roi, « empereur en son royaume », souverain de son domaine.

◆ **Le premier trait**

Cette catholicité, fortement imprégnée de Rome, de son droit, de ses institutions, constitue l'un des courants profonds de la culture française. Tout ordre doit être clair, pyramidal, s'organiser autour d'un centre rayonnant, porteur de raison et d'universalité, qu'il s'agisse de la monarchie absolue de Richelieu et du Roi-Soleil ou de la République jacobine.

Cet ordre requiert solennité, ostentation, symboles, cérémonies. Aux fêtes aristocratiques de Chambord ou de Versailles succèdent les défilés et bals populaires du 14 Juillet, aux oraisons funèbres de Bossuet les obsèques nationales par lesquelles la République rend hommage à ses héros. Dans la seconde moitié du XXe siècle, aucun président de la Ve République n'échappe à cette fascination pour les rites et parfois pour les monuments, « lieux de mémoire » (Pierre Nora) parmi d'autres.

◆ **Le deuxième trait**

La catholicité est le cœur d'une légitimité déjà nationale qui ne saurait tolérer aucune subordination.

D'où des querelles répétées avec le pape, de Philippe le Bel face à Boniface VIII, au début du XIVe siècle, à Louis XIV faisant systématiser par Bossuet la doctrine gallicane. À la différence de l'Angleterre rompant avec la papauté sous Henri VIII, ou de l'Allemagne divisée entre luthéranisme et catholicisme, la France demeure dans l'Europe catholique. Ainsi, tandis que la colonisation anglaise amène avec elle des pasteurs, la colonisation française — même au temps de la IIIe République, anticléricale et laïque — diffuse le catholicisme par les missions étrangères. Lors du dépeçage de l'Empire ottoman au lendemain de la Première Guerre mondiale, la France est perçue, par les Britanniques et les Arabes, comme la puissance catholique (revendications sur la Palestine et la Syrie ; soutien du Liban chrétien).

B/ Le catholicisme et la République

La séparation entre l'Église catholique et la République française prend plus d'un siècle. Mais le lien est-il tout à fait rompu ?

En 1790, la Constitution civile du clergé prétend instituer une Église nationale, dont les curés et les évêques sont élus par le peuple et rémunérés par l'État. Le rejet par un grand nombre de prêtres est total et contribue à entretenir les luttes civiles (notamment en Vendée). En 1801, Bonaparte et Pie VII concluent le concordat reconnaissant le catholicisme comme la religion « de la grande majorité des Français ». Finalement, l'enracinement de la République, au lendemain de la guerre de 1870, rompt le concordat, et c'est la séparation de l'Église et de l'État en 1905.

Cependant, dans cette France où la blessure ouverte par la Révolution de 1789 ne se cicatrise pas, le catholicisme donne un point d'ancrage à ceux qui n'acceptent pas « la gueuse ». Ainsi, de 1940 à 1944, le régime de Vichy, expliquant la défaite de la France par ses péchés, exaltant le sacrifice, cherche dans l'Église une source de légitimité. Quant à de Gaulle, homme de foi nourri d'histoire, il n'oublie jamais que, quelles que soient ses compromissions, l'Église fait partie de l'identité française.

Dans la France de la fin du XXe siècle, les haines contre « la calotte », l'anticléricalisme se sont effacés devant un mélange d'indifférence, d'ignorance et de consensus. Que subsiste-t-il du catholicisme ? Des églises désertées, des noyaux de fidèles, des récits ou des mythes parfois devenus obscurs. En même temps, cette obsession que garde la France de répandre un message universel, d'avoir une mission, ne plonge-t-elle pas dans son fonds catholique, dans cette nostalgie de ne plus être « la fille aînée de l'Église », la terre d'où Pierre l'Ermite lançait son appel à la croisade ?

À la suite de la Révolution française, la République porte à son tour une religion laïque à l'ambition universelle, en diffusant en Europe et dans le reste du monde les idées de liberté et de progrès. Combien de colonisés — de Hô Chi Minh à Bourguiba — ont retourné contre la France colonisatrice ses valeurs d'émancipation et de dignité ? De même beaucoup d'étrangers — en particulier américains — demeurent touchés ou fascinés par l'obstination qu'ont ces « petits » Français à apporter à la terre entière la vérité, leur vérité.

Enfin la France appartient, avec l'Italie, l'Espagne et le Portugal, à un espace de culture, où s'unissent catholicité et latinité ; d'où l'évocation périodique et certes floue d'une solidarité méditerranéenne.

III - LA FRANCE, PAYS DE LA RAISON

« La France est peut-être le seul pays où des considérations de pure forme, un souci de la forme en soi, aient persisté et dominé dans l'ère moderne. Le sentiment et le culte de la forme me semblent être des passions de l'esprit qui se rencontrent le plus souvent en liaison avec l'esprit critique et la tournure sceptique des esprits.[...] Le chef-d'œuvre littéraire de la France est peut-être sa prose abstraite, dont la pareille ne se trouve nulle part. » (Paul Valéry, « Images de la France », 1927).

La France, à travers nombre de ses écrivains et philosophes, aime à se considérer comme la terre de la raison, de la mesure, de la diversité maîtrisée. Lorsque l'Europe de la Contre-Réforme s'exalte dans le Baroque et sa profusion de formes, la France, toujours différente, invente son universalisme, le classicisme, soumettant à de multiples règles l'imagination, l'émotion, la passion afin qu'elles se déploient, plus pures, plus parfaites. Ainsi, pour la colonnade du Louvre, la France de Louis XIV écarte le Bernin pour l'ennuyeux Perrault, puis bâtit Versailles, symbole d'un ordre se croyant éternel.

La France connaît, aux XVIIe-XVIIIe siècles, un âge d'or. Au début du XVIIIe siècle, dans une Europe de 118 millions d'habitants, c'est, avec ses 19 millions d'habitants, le pays le plus peuplé d'Europe, devançant encore la Russie (15 millions d'habitants). Le royaume est vigoureux et opulent. L'Europe, ou tout au moins les cours, conversent, correspondent en français. Chaque prince veut son Versailles.

Au cours de ces deux siècles, la civilisation française atteint une sorte de perfection, jamais égalée depuis, mais affectant néanmoins toujours les représentations que l'on se fait de la France.

A/ L'esprit français

Y a-t-il un esprit des peuples ? Rien n'est plus insaisissable, plus contestable que cette notion, qui souvent ne peut susciter que des images réductrices ou fausses : le coq gaulois, le bouledogue anglais, l'ours russe... Pourtant il existe des représentations, des créations, des œuvres dans lesquelles un peuple se reconnaît plus ou moins et auxquelles il est plus ou moins identifié. Les peuples ne rient pas aux mêmes plaisanteries, ne sont pas sensibles au mêmes publicités, n'apprécient pas les mêmes mélodies...

L'esprit français, dans la mesure où il se laisse appréhender, résulte d'un art de vivre aristocratique. Il se fait et se défait dans les salons, d'abord par la conversation, puis par les échanges épistolaires, enfin par les gazettes et les livres. Cet esprit mêle la médisance, l'ironie, l'héroïsme, le sentiment aigu de la proximité de la mort. La littérature française puise, dans cette époque de préciosité et de Fronde, ses deux héros les plus célèbres en France et hors de France : d'Artagnan et Cyrano de Bergerac. Tous deux sont pauvres et fiers, se perdent dans des amours désespérés, ferraillent contre les puissants (Richelieu, de Guiche) tout en servant fidèlement le roi.

La cour de Louis XIV achève — dans les deux sens du terme — cet esprit, en le menant à sa perfection et en le pétrifiant. Comme l'explique Norbert Élias dans *La Société de cour*, la cour est alors le monde. Les passions humaines — ambition, envie, jalousie, etc. — trouvent là un théâtre, dont les contraintes constituent autant d'aiguillons pour l'imagination.

La Rochefoucauld, Pascal, Racine, Molière, La Bruyère, Saint-Simon, parmi tant d'autres, analysent « la nature humaine ». Peu importe le décor : Grèce mythologique, Rome antique ou maison bourgeoise du XVIIᵉ siècle, l'homme est un animal social, obéissant toujours aux même ressorts : goût du pouvoir, vanité, désirs d'autant plus lancinants que leur objet est inaccessible. Ainsi s'établit une science des passions.

Cette science est indissociable d'un style qui mobilise peu de mots, révèle l'obscur par des phrases limpides, refuse l'ornement. Tel est l'art des maximes posant des vérités intemporelles sur l'homme, mais suffisamment générales pour être réinterprétées à l'infini. Comme l'écrit Baudelaire sur *Les Liaisons dangereuses* de Laclos, cette littérature « ne peut brûler qu'à la manière de la glace ».

Avec les moralistes français, le style devient l'accomplissement de la vie. La précision des mots met à nu les passions et les dépasse. Cette exi-

gence d'analyse définit une certaine représentation de l'esprit français :
élégant, sec, faisant du libertinage une ascèse, de l'érotisme une discipline
(Laclos traitant la conquête amoureuse comme une manœuvre stratégique
ou une partie d'échecs ; Sade relatant les pires débauches dans une prose
nette et parfaite).

Ce « regard froid », selon la formule de Roger Vailland, ne cesse d'être
présent dans la littérature française, de Chamfort à Benjamin Constant, de
Radiguet à Bataille ou même Camus.

Surtout ce style, cette adéquation de la forme et du fond fascinent. Pour
le philosophe allemand Nietzsche, il y a là la connaissance exacte du cœur
humain. Seul l'aphorisme appréhende la vérité, qui ne saurait être enfermée dans des dissertations développant des systèmes. Ainsi la plupart des
livres de Nietzsche se composent de fragments. Au XXe siècle, l'Irlandais
Beckett, le Roumain Cioran, l'Argentin Banciotti choisissent d'écrire en
langue française, pour son abstraction transparente. Cioran, qui apprit le
français dans la douleur, résume « les lacunes » de l'esprit français :
« [...] Le vrai seul est aimable. C'est de là que proviennent les lacunes de
la France, son refus du Flou et du Fumeux, son anti-poésie, son anti-méta-
physique. Plus encore que Descartes, Boileau devait peser sur tout un
peuple et en censurer le génie » (*Syllogismes de l'amertume,* 1952).

B/ Les Lumières

Au XVIIIe siècle, les Lumières sont un phénomène européen. Ce mouvement multiforme, contradictoire, esquisse une nouvelle vision du monde
et de l'homme. Dieu n'est pas encore mort ; mais le Dieu des philosophes
n'est plus celui proche, omniprésent de la chrétienté, c'est le Grand Hor-
loger des francs-maçons, le gardien lointain de l'univers. L'homme a désormais pour guides, pour « lumières », sa raison, sa conscience. L'idée de
nature change de signification : il ne s'agit plus de connaître la nature
humaine, mais de chercher dans la Nature la vérité profonde de l'homme
et de rebâtir la société conformément à cette vérité (thème du *Contrat
social*).

Or chaque peuple européen a sa philosophie des Lumières. « Enlight-
nement », « Lumières », « Aufklärung », chacun de ces termes recouvre
un cheminement spécifique à l'Angleterre, à la France, à l'Allemagne. En
France, la Raison triomphe. Mais est-ce encore la Raison du XVIIe siècle ?

Montesquieu reste proche de l'âge classique ; *De l'esprit des Lois* (1748) examine les permanences, les invariants des sociétés. Montesquieu le modéré ne rêve pas de changer l'ordre des choses, il veut en assurer le meilleur équilibre (thème de la séparation des pouvoirs). Voltaire brandit la Raison comme une arme contre les obscurantismes, les fanatismes ; aucune tradition ne saurait borner la Raison, qui doit dissiper les ténèbres autour de l'homme.

L'Encyclopédie (1751-1772), sous la direction de Diderot, incarne les ambitions majeures des Lumières : rassembler, dans un livre, toutes les connaissances de l'humanité et fournir ainsi aux hommes un outil total. Ce désir de tout répertorier, de tout classer anime aussi, parmi beaucoup d'autres, Buffon, voulant recenser, dans son immense *Histoire naturelle générale et particulière* (quarante-quatre volumes, 1749-1789), toutes les espèces de la création. L'encyclopédisme caractérise l'ensemble de l'Europe des Lumières, mais il s'épanouit pleinement en France. Celle-ci est bien le pays où rayonne l'esprit universel : Voltaire est l'ami de Frédéric II de Prusse ; Catherine II achète la bibliothèque de Diderot et lui en laisse la jouissance.

Si les Lumières françaises puisent dans la philosophie et la science britannique (Newton, Locke, Hume), l'*Aufklärung* de l'Allemagne s'élabore par opposition à la pensée française. Celle-ci s'exalte de la toute-puissance de la Raison, alors que celle-là réhabilite l'émotion, le sentiment. Les Lumières françaises croient en l'unité de l'homme, l'*Aufklärung* s'interroge sur l'irréductible diversité des peuples. « De la logique des "idées claires et distinctes", la marche de la pensée mène à la logique de l'"origine" et de l'individuel, de la simple géométrie à la dynamique et à la philosophie dynamique de la nature, du "mécanisme" à "l'organicisme", du principe d'identité au principe d'infinité, de continuité et d'harmonie » (Ernst Cassirer, *La Philosophie des Lumières,* 1932). Ainsi se distinguent la clarté, la légèreté françaises et l'opacité, la profondeur allemandes.

C/ Un destin avorté

En ces deux siècles où rayonne le modèle français, la France ne manque-t-elle pas son destin de grande puissance ? « La France a l'avantage de n'être pas trop éloignée du centre mondial des affaires [...] La France n'a pas eu le destin qui aurait exalté ses facultés. La France a perdu et reperdu la guerre mondiale. Et elle l'a perdue avant la Révolution française » (Fernand Braudel, *Libération,* 14 décembre 1982).

Quel sens doit-on donner à cette réflexion ?

De la fin du Moyen Age aux deux guerres mondiales, l'Europe, alors qu'elle se déploie vers les océans et les autres continents, s'organise et se réorganise, du point de vue des échanges, en une succession d'économies-mondes. Une économie-monde, c'est un réseau ou plutôt un ensemble de réseaux, de relations économiques, tissés, hiérarchisés autour d'un centre, point ultime de départ et d'arrivée des liaisons. Ces centres sont tour à tour Venise, Séville, Amsterdam, Londres. Bien évidemment l'accès à cette position donne lieu à d'âpres luttes (par exemple, entre Gênes et Venise, Anvers et Amsterdam, Amsterdam et Londres). Or, se demande Fernand Braudel, pourquoi la France des XVIIe et XVIIIe siècles, au sommet de sa force et de son rayonnement, ne réussit-elle pas, face à Amsterdam et Londres, à occuper cette place centrale d'une économie-monde ? Pourquoi la France, si bien située à l'extrême pointe du continent eurasiatique, ayant une façade méditerranéenne et une façade atlantique, ne domine-t-elle pas la mer ?

Pour F. Braudel, la France est victime de son immensité, de son extrême diversité : « L'émergence d'un marché national, c'est un mouvement contre l'inertie omniprésente, un mouvement générateur à la longue d'échanges et de liaisons. Mais, dans le cas français, la source majeure d'inertie, n'est-ce pas l'immensité même du territoire ? Les Provinces-Unies et l'Angleterre, celles-là de médiocre, celle-ci de modeste étendue, sont plus nerveuses, plus facilement unifiées. La distance ne joue pas autant contre elles. » (*Civilisation matérielle, économie et capitalisme,* tome 3, « Le temps du monde », 1979, p. 269).

Si la France est l'un des États les plus tôt formés, avec l'affirmation de la monarchie absolue, en revanche son unification économique, sa constitution en un marché national ne s'opèrent qu'avec la Révolution française abolissant les barrières intérieures. La France, s'appropriant lentement son espace, entravée par sa fragmentation, n'est pas en mesure de se tourner pleinement vers le grand large.

D'autres éléments d'explication peuvent être avancés : Paris, qui n'est ni au bord de l'océan, ni au bord du Rhin, se trouve en marge des grandes voies de circulation ; de plus, Paris étouffe les capitales de province — Lyon surtout —, qui prétendraient à un essor international propre.

Enfin, de François Ier à Louis XIV, de la Révolution française à Napoléon, la France se veut d'abord une grande puissance continentale, ayant la première place en Europe. D'où d'interminables guerres, qui accaparent l'énergie française, les théâtres non européens (Inde, Amérique) ne pouvant qu'être secondaires. Seul Louis XVI, passionné de géographie, modernise la marine, s'intéresse aux expéditions lointaines ; mais la Révolution française met fin à ces tentatives.

L'ultime lutte de la France contre l'Angleterre est menée, au tout début du XIXe siècle, par Napoléon. Mais il est trop tard. La France n'a plus de marine (en 1798, Bonaparte et son expédition se rendent en Égypte avec des bateaux construits sous Louis XVI et assez mal entretenus). La défaite de Villeneuve face à Nelson à Trafalgar (1805) n'est ni une surprise, ni un tournant ; elle est l'aboutissement logique de l'ambition napoléonienne, qui s'esquisse dans la vaine édification d'un empire terrestre.

IV - LA RÉVOLUTION FRANÇAISE

La Révolution française s'impose comme l'une des ruptures majeures de l'histoire de France, berceau de la modernité. Il y a les mots de la Révolution : liberté, égalité, droits de l'homme, citoyen, loi, nation... Il y a aussi ses dimensions dramatiques et autant de tableaux qui ont forgé la mémoire nationale : le serment du jeu de paume, la prise de la Bastille, la fête de la Fédération... Il y a enfin les phases de la Révolution, s'enchaînant comme les actes d'une tragédie.

La Révolution française ne cesse d'être interprétée et réinterprétée. En France, elle est la source d'une fracture, entretenant une guerre franco-française, parfois apaisée, parfois aiguë, et dont le bicentenaire de 1789 a montré les résurgences et les échos.

À l'étranger, les visions de la Révolution française sont mouvantes, contrastées. En Grande-Bretagne, sous la plume de Burke (*Réflexions sur la Révolution française,* 1790) ou de Dickens (*A Tale of two cities,* 1859), cette Révolution est bien française : violente, sanguinaire, aussi éloignée que possible d'un idéal de raison et de liberté. L'Allemagne, de Goethe à Kant, de Beethoven à Hegel, observe la Révolution comme un nouveau monde qu'il faut s'approprier pour faire l'Histoire. Les révolutionnaires d'Europe ou de l'Asie dominée décortiquent la Révolution française, comme si elle contenait le secret de la révolution absolue, parfaite.

Pourquoi, en quoi la Révolution française contribue-t-elle à définir les rapports de la France au monde ?

A/ La Révolution française, laboratoire des révolutions modernes

Charles Ier, roi d'Angleterre, est décapité en 1649, soit près d'un siècle et demi avant l'exécution de Louis XVI, en 1793. L'insurrection des treize colonies américaines (1776-1787), conduisant à la création d'une République conforme aux idées des Lumières, précède la Révolution française. Pourtant c'est bien cette dernière qui est à l'origine de symboles qui sont constamment repris.

◆ Des États généraux à la Constituante (1789-1791)

Dans les mythes de la Révolution, ces deux ans marquent le triomphe de la Raison sur l'Ancien Régime.

L'unité s'impose. Les États généraux se transforment en Assemblée nationale (17 juin 1789), se déclarant bientôt « constituante ». Le 14 juillet 1789, la prise de la Bastille, même si elle annonce la face sanglante de la Révolution, met à mort l'arbitraire royal. Le 14 juillet 1790, se déroule au Champ-de-Mars, la fête de la Fédération : une messe est célébrée sur l'autel de la patrie, la nation prend corps ; c'est le temps de la fraternité.

La Constituante, faisant table rase du passé, édifie une nouvelle France : abolition des privilèges ; découpage en départements ; réformes de la justice, de la fiscalité ; suppression des associations professionnelles ; Constitution civile du clergé.

Enfin, la Constituante se veut porteuse d'un message universaliste : la Déclaration des droits de l'homme et du citoyen (16 août 1789). Ce texte, pourtant inachevé, s'impose comme l'une des pierres fondatrices de l'identité républicaine. Il est brandi par toutes les révolutions libérales. La Déclaration de 1789 met en forme la première génération des droits de l'homme (les « libertés formelles » dans la terminologie marxiste), où la loi concilie liberté, égalité et aussi propriété.

◆ La guerre, la Convention, la Terreur (1792-1795)

« La révolution dévore ses enfants » : cette phrase hante toute révolution. Le 20 avril 1792, la France révolutionnaire, se lançant dans « la croisade de la liberté universelle », déclare la guerre à l'Europe des rois (plus exactement, à celui de Bohême et de Hongrie). La Révolution va de déchirement en déchirement, mettant en scène un archétype que d'autres révolutions connaîtront :

• *Girondins et Montagnards*

Dans l'imagerie, reprise de Lamartine (*Histoire des Girondins,* 1847) à Claude Manceron (*Les Hommes de la liberté*), les Girondins incarnent l'enthousiasme idéaliste, balayé par les tempêtes (guerres, journées) qu'ils ont eux-mêmes déchaînées. Les Montagnards sont, eux, l'intransigeance révolutionnaire, se détruisant les uns les autres par leurs surenchères.

• *Danton et Robespierre*

Dans le roman de la Révolution, l'affrontement entre Danton et Robespierre garde une dimension exemplaire. La Terreur met fin à l'amitié entre les deux hommes. Robespierre, dictateur inflexible, abat tout ce qui, à ses yeux, trahit la ligne pure de la Révolution. Danton, lui, est las du sang ; il s'est éloigné des affaires. Mais la machine infernale broie tous ceux qui veulent lui échapper. Danton et ses fidèles, appelés « les Indulgents », engagent un combat désespéré contre Robespierre ; ils sont guillotinés le 5 avril 1794. Robespierre les suit sur l'échafaud moins de quatre mois plus tard, le 28 juillet 1794.

Ce duel entre Danton et Robespierre illustre le conflit perpétuel entre l'idée et la réalité, l'absolu et le relatif, l'utopie et la vie. Ce drame inspire aussi bien le romantique allemand (Georg Büchner, *La Mort de Danton,* 1835) que le Polonais revenu des révolutions (Andrezj Wajda, *Danton,* 1982).

La Terreur reste comme une expérience extrême, un moment prophétique annonçant toutes ces révolutions qui anéantissent, dans une même soif de sacrifice, leurs ennemis et leurs meilleurs partisans. La révolution ne semble alors pouvoir garder son élan qu'en détruisant ses auteurs et, plus précisément, en les exécutant comme des traîtres. On retrouve cet engrenage dans la Révolution russe (notamment lors des procès de Moscou par lesquels Staline achève les « vieux bolcheviques »), dans la Chine maoïste de la Révolution culturelle, dans le Cambodge des Khmers rouges. Pourquoi la terreur ? Cette question parcourt le XXᵉ siècle.

◆ Thermidor, le Directoire (1795-1799)

Après la folie froide, rationnelle de l'absolu, le Directoire, avec ses Incroyables, ses modes, ses fêtes, exprime le retour de la vie, de ses plaisirs et aussi de ses faiblesses, de ses corruptions. Robespierre et Saint-Just laissent la place à Barras et Tallien.

Toute révolution n'est-elle pas condamnée à pourrir ? Le rêve révolutionnaire est de « changer l'homme », mais l'homme peut-il être transformé par décret ? Comme toute révolution s'exalte dans la Terreur, elle succombe tout autant à la tentation du Directoire, au désir de profiter du pouvoir (Union soviétique post-stalinienne, Chine post-maoïste). Puis vient le temps du dictateur, du chef.

◆ Napoléon

Napoléon occupe une position-charnière dans l'achèvement de la France. La monarchie capétienne et la Révolution jacobine trouvent une synthèse. Ce que l'Ancien Régime, imprégné de féodalité, gardait d'hétéroclite est effacé. La France est désormais stabilisée, nette, avec ses départements, ses préfets, ses lycées, le Conseil d'État. Selon la légende, Napoléon serait le créateur de la France moderne, hiérarchisée, centralisée ; en fait, il achève un processus multiséculaire, lui donne sa forme définitive.

L'éclair napoléonien échappe à l'histoire de France. Celle-ci a été construite patiemment d'abord par des rois, en général soucieux d'étendre et de consolider leur pré carré, se laissant parfois distraire de cette tâche obstinée pour rapidement se rendre compte qu'ils s'égaraient. Napoléon n'a pas la légitimité qu'assurent plus ou moins les siècles. Ce parvenu est pressé : il veut un empire. Grâce à son génie militaire, il l'édifie en quelques années, puis le perd tout aussi vite.

Tout comme Alexandre le Grand échappe à la Grèce et rejoint le panthéon des héros universels, Napoléon est l'un de ces mythes qui touchent les hommes des civilisations les plus diverses. Pourquoi ? Surgi de nulle part, il est l'homme moderne qui, par la puissance de son intelligence et de sa volonté, se fait par lui-même, forge sa légende. Enfin cette vie se trouve sublimée par le martyre : désastre de Waterloo et exil de Sainte-Hélène. Pour Hegel, regardant Napoléon triompher à Berlin (27 octobre 1806) au lendemain de la défaite de la Prusse à Iéna, cet homme est l'Histoire à cheval. Pour Clausewitz, fervent patriote prussien, qui hait Napoléon, celui-ci est le dieu de la guerre, manœuvrant les armées comme les pions d'un jeu d'échecs. Pour Chateaubriand, Stendhal, Balzac, Hugo et tant d'artistes, Napoléon porte les songes grandioses du siècle.

Bref, Napoléon est l'un des personnages essentiels de l'histoire de la France. Mais les Français se reconnaissent-ils en lui ?

B/ La Révolution française, la nation et la France

Le sentiment national est antérieur à la Révolution française. Mais, avec ce cataclysme, la nation émerge en France comme une entité consciente. C'est ce que ressent Goethe, voyant les soldats français charger à Valmy (20 septembre 1792) au cri de « Vive la nation » : « D'ici et d'aujourd'hui date une époque nouvelle de l'histoire universelle. » En quoi la nation est-elle alors une idée neuve en Europe ? Elle opère un transfert de légitimité : le souverain n'est plus le roi, mais la nation. Le pouvoir ne vient plus de Dieu, mais de la volonté des hommes.

◆ 1789-1815 : la France victorieuse et vaincue par la nation

La Révolution — comme toutes celles qui lui succèdent — éprouve une difficulté essentielle à s'imposer dans un monde — ici, l'Europe monarchique — qui repose sur des valeurs opposées aux siennes. Le 20 avril 1792, la France révolutionnaire, déclarant la guerre au roi de Bohême et de Hongrie, s'engage dans une lutte avec l'Europe, qui s'étale sur près d'un quart de siècle (1792-1815). Cette lutte s'achève par la défaite de la France et la Restauration de la monarchie des Bourbons.

En 1792, la France révolutionnaire — la Grande Nation — s'assigne pour mission de libérer les peuples de la tyrannie des princes : au fur et à mesure que les armées françaises avanceront, l'Europe se couvrira de républiques-sœurs, qui établiront entre elles des liens fraternels.

Mais l'idée de nation qui, d'abord, soude les soldats de la République et vieillit brutalement les armées princières composées de mercenaires, se retourne peu à peu contre la France. La France napoléonienne gagne bataille sur bataille, guerre sur guerre, mais chaque victoire, chaque occupation conduit les vaincus, les occupés à imiter la France et, en même temps, éveille en eux le sentiment aigu de leur identité face aux Français. Le message de liberté, d'émancipation que diffuse la France invite à la révolte, à la résistance contre toute force dominatrice.

Ainsi, en Espagne, en 1808, la France napoléonienne se présente en messager des Lumières, apportant à cette terre catholique, arriérée, la Raison et le code civil. Puis, de 1808 à 1814, l'occupation de l'Espagne vire au cauchemar : fusillades, guérillas, massacres, immortalisés par Goya, expriment la révolte des Espagnols contre l'occupant français.

En 1812, le cauchemar se répète dans le froid de la Russie. Face à l'invasion des armées napoléoniennes, le peuple russe, à l'appel du « petit père », le tsar, se mobilise pour défendre la terre sacrée. En 1813, c'est le soulèvement de la jeunesse universitaire allemande.

Les idées, les principes n'appartiennent à personne. Cette idée de nation que la France est si fière d'offrir au monde ne peut que lui être dérobée. En 1815, les monarques essaient de croire qu'ils ont terrassé le dragon de la révolution et de la nation. Mais les germes sont semés.

◆ 1848-1871 : la France à nouveau défaite par le principe des nationalités

En 1848, c'est le « printemps des peuples ». Les aspirations nationales, bridées par la Sainte-Alliance, doivent s'épanouir dans la fraternité. Mais, très vite, la répression, la contre-révolution rétablissent l'ordre.

En France, Louis Napoléon Bonaparte, devenu Napoléon III, se veut le continuateur et le vengeur de son oncle, Napoléon Ier. Le principe des nationalités, étouffé par le Congrès de Vienne (1814-1815), doit s'imposer en Europe.

Ainsi Napoléon III apporte un soutien décisif à l'unité de l'Italie, aidant militairement le Piémont dans sa lutte contre l'Autriche.

Cette politique idéologique est à nouveau source de contradictions et d'humiliations. En quête d'un succès de prestige, Napoléon III organise l'expédition du Mexique (1862-1867), place à la tête du pays un Habsbourg, Maximilien d'Autriche, et déclenche une vigoureuse résistance nationale ; l'aventure se termine lamentablement par l'exécution de Maximilien, abandonné par les Français.

C'est face à la Prusse de Bismarck que la France de Napoléon III connaît son épreuve de vérité. Napoléon III, au nom du principe des nationalités, ne peut qu'être favorable à l'unité de l'Allemagne (entrevues avec Bismarck à Biarritz en octobre 1865). Or cette unité ne saurait se faire que contre la France, dont la diplomatie traditionnelle, symbolisée par les traités de Westphalie (6 août-8 septembre 1648), veille à la fragmentation de l'Allemagne.

Le piège bismarckien se referme inexorablement sur Napoléon III, contraint, par la fameuse dépêche d'Ems (13 juillet 1870), à déclarer la guerre à la Prusse. C'est le désastre de Sedan (2 septembre 1870) : Napoléon III et ses troupes, pris dans une nasse, capitulent et sont faits prisonniers. L'Empire allemand est proclamé, le 18 janvier 1871, par Bismarck, dans la Galerie des Glaces à Versailles, alors que Paris est assiégée et affamée par l'armée prussienne.

◆ 1919-1920 : le triomphe du principe des nationalités, porteur d'un nouveau désastre pour la France

En 1918, la France réunit enfin dans sa main les deux atouts qu'elle n'a jamais pu combiner depuis la Révolution française : la France est, par le prix du sang, le premier vainqueur des Empires centraux (Allemagne, Autriche-Hongrie) ; comme le révèlent les Quatorze Points du président Wilson (8 janvier 1918), le grand allié sans lequel le conflit ne serait pas gagné, le principe des nationalités doit fonder le nouvel ordre européen.

À nouveau, ce principe se retourne contre la France. Il exclut de toucher aux « vraies » nations, donc à l'Allemagne qui, depuis la fin du XIXe siècle, a émergé, au cœur de l'Europe, comme un colosse, pesant beaucoup plus lourd que ses voisins, et humiliée par le « diktat » de Versailles.

À l'inverse ce principe justifie le démantèlement de l'Autriche-Hongrie, qui matérialisait la diversité de l'Europe, et pouvait dans une certaine mesure contrebalancer les deux géants, l'Allemagne et la Russie.

Ce principe des nationalités, poussé jusqu'à l'extrême, conduit, du fait du nombre des peuples en Europe centrale et dans les Balkans, à une poussière d'États dans ces régions. Or, face à l'Allemagne, des contrepoids sont indispensables. D'où, avec l'appui de la France, des regroupements plus ou moins artificiels (Tchécoslovaquie, Yougoslavie) qui, dans l'entre-deux-guerres (et jusqu'à aujourd'hui), ne cessent de se déchirer.

L'Europe à la française de 1919-1920 contient en germe la Seconde Guerre mondiale et, d'abord, une nouvelle défaite de la France face à l'Allemagne, le principe des nationalités interdisant de fragmenter ce colosse au centre de l'Europe, et dont la démographie et l'économie pèsent deux fois plus lourd que celles de la France.

Ainsi la Révolution française introduit, dans l'histoire de France, une fracture. Avant la Révolution, la France est un royaume catholique, composante majeure de l'Europe chrétienne. À la suite de la Révolution, la France s'engage en Europe, non sans déviations (de 1799 à 1815, de 1851 à 1870) et interruption (de 1815 à 1848), dans une expérience unique : l'établissement d'une république démocratique. À l'issue de la Première Guerre mondiale, le rêve des révolutionnaires — instauration de républiques dans toute l'Europe — s'impose sur une grande partie du continent et d'abord chez l'ennemi (République de Weimar en Allemagne).

Le 14 juillet 1989, la célébration du bicentenaire donne lieu, sur les Champs-Élysées, à un somptueux défilé rassemblant des représentants de toutes les traditions, de toutes les cultures. Mais cette exaltation des différences exprime-t-elle encore l'ambition des Lumières, celle d'une humanité unifiée, épanouie par le progrès ? Il reste que, de la Révolution, la France garde le rêve d'apporter au monde un message de portée universelle.

V - LES DÉFAITES DE LA FRANCE

Depuis la fin du XVIIIᵉ siècle, la France connaît soit des victoires illusoires ou ambiguës (1802, 1805, 1919, 1945), soit des défaites souvent désastreuses (1763, 1815, 1871, 1940 et même 1954 ou 1962). Pourtant la France existe toujours, disposant même d'un statut de « grande puissance ».

Ces défaites en forme de cataclysmes ou ces victoires équivoques sont essentielles dans l'héritage. Ces moments extrêmes façonnent la position, les réactions internationales de la France.

A/ 1815 : la France sauvée par ce qu'elle voulait anéantir

De 1792 à 1815, la France révolutionnaire puis impériale est l'ennemie haïe de l'Europe de l'Ancien Régime. Napoléon, devenu empereur, veut, comme tous les parvenus, être accueilli dans le gotha des rois et des princes. Il crée une noblesse, épouse une archiduchesse autrichienne, Marie-Louise ; mais malgré ses efforts, Napoléon reste un enfant de la Révolution : « Vos souverains, nés sur le trône, peuvent se laisser battre vingt fois et rentrer toujours dans leurs capitales ; moi, je ne le puis pas, parce que je suis un soldat parvenu. Ma domination ne me survivra pas, du jour où j'aurai cessé d'être fort, et par conséquent d'être craint » (Napoléon à Metternich, en 1813).

En 1814-1815, au Congrès de Vienne, la France, finalement, retrouve sa place au sein du vieux système européen. Avec la restauration des Bourbons, elle est à nouveau digne d'appartenir au concert européen. En 1818, au congrès d'Aix-la-Chapelle, la France rejoint la Sainte-Alliance, pacte mystique initié par le tsar et visant à maintenir l'ordre monarchique en Europe. En 1823, mandatée par la Sainte-Alliance, la France de Louis XVIII, en quête d'un succès militaire, envoie un corps expéditionnaire en Espagne afin de réprimer l'insurrection du mouvement libéral.

Cependant le Congrès de Vienne, s'il sauve la France, introduit ce qui sera le point d'appui de l'affrontement franco-allemand, à la fin du XIXe siècle et durant la première moitié du XXe. La Prusse, avide d'effacer l'humiliation d'Iéna et du traité de Tilsit (1807), obtient de nombreux territoires en Allemagne occidentale (Westphalie, Rhur, Rhénanie, Sarre), et, désormais voisine de la France, devient la gardienne de la frontière germanique à l'ouest.

B/ 1870-1871 : la première débâcle

En 1814-1815, la France napoléonienne est vaincue par l'Europe coalisée des rois. La défaite de Waterloo rejoint, comme toute la vie de Napoléon, la légende, véhiculée par Stendhal ou Victor Hugo.

Selon Marx, lorsque l'histoire se répète, la première fois est une tragédie, la seconde une comédie dérisoire. Ainsi, après 1815 : 1870. La guerre de 1870 s'enclenche par une mécanique de vaudeville. Bismarck, voulant pousser la France à la faute, imagine la dépêche d'Ems (13 juillet 1870) présentant comme humiliante l'attitude qu'aurait eue le roi Guillaume Ier de Prusse vis-à-vis de l'ambassadeur de France. La provocation fonctionne à merveille. Napoléon III, usé par la maladie, sent que la guerre serait une folie, mais l'orgueil national est le plus fort : la France déclare la guerre.

Les erreurs s'enchaînent alors de manière infernale. La mobilisation s'opère dans la plus grande confusion. Les chefs militaires ne sont que des courtisans incapables d'initiatives. Napoléon III est pris à Sedan le 4 septembre 1870 ; Bazaine et ses troupes s'enferment dans Metz (18 août-27 octobre 1870). L'empire tombe, remplacé par la République. Puis, avec la Commune (18 mars-28 mai 1871), c'est la guerre civile, sous le regard des soldats prussiens.

Pour la France, la leçon est terrible. Tout d'abord, elle est seule, sans allié. L'Europe observe, mi-réjouie de la raclée que reçoit la suffisance française, mi-inquiète d'assister à l'émergence d'une autre arrogance, celle d'une Allemagne grisée de sa victoire et de sa jeune unification. En 1914, puis en 1938-1939, la France aura pour préoccupation centrale la solidité de ses alliances. À partir du désastre de 1870, la France défendra toujours son sol en s'aidant d'États étrangers, et le général de Gaulle se fera fort de disposer, avec la dissuasion nucléaire, d'une arme dont la France serait seule maîtresse.

De plus, en 1870-1871, la France est battue par la Prusse. La vieille, la grande nation se retrouve à terre sous les coups d'un État qu'ont célébré ses écrivains (Voltaire, Mirabeau), et qu'elle a écrasé à Iéna. En 1871, la France, grande puissance de l'Europe quelques dizaines d'années plus tôt, n'est plus qu'un pays amputé de l'Alsace-Lorraine, meurtri, diminué, coupé de l'Europe par son régime républicain et par les soins de Bismarck.

Alors la France se refait peu à peu, avec une obstination terrienne. Elle prépare la revanche ; « Pensons-y toujours, n'en parlons jamais », selon la formule de Gambetta.

C/ 1918 : la victoire illusoire

De 1871 à 1918, le chemin de la revanche est long, difficile. Lentement la France retrouve une place en Europe, bâtit un empire colonial, noue des alliances avec la Russie et l'Angleterre. En 1914, la guerre naît d'un enchaînement d'événements, d'erreurs. Dans cette course de l'Europe à la catastrophe, la France, qui ne peut oublier son recul démographique, ses limites économiques, veille surtout à ne pas basculer seule dans l'affrontement ; le « rouleau compresseur » russe, la participation britannique sont indispensables.

Les quatre ans de combats sont terribles pour la France. En 1914, la France a un peu moins de 40 milions d'habitants ; la guerre fait 1,4 million de tués (pour l'Allemagne, qui compte de 65 millions d'habitants, 1,9 million de tués).

En 1918, la France, par le prix du sang, par la mobilisation industrielle qu'elle a accomplie, est le premier vainqueur. Mais cette victoire douloureuse est d'emblée lourde d'incertitudes. Les États-Unis, qui ont fait pencher la balance en faveur de l'Entente, retournent à l'isolationnisme. La Grande-Bretagne, pourtant alliée, retrouve sa vieille méfiance à l'encontre de la France, soupçonnée de tentations hégémoniques en Europe, et souhaite une reconstruction de l'Allemagne, excellent client de l'Angleterre avant le conflit. Enfin et surtout, l'Allemagne vaincue, humiliée par le traité de Versailles, persuadée d'avoir été abattue par un « coup de poignard dans le dos », reste, au cœur de l'Europe, menaçante.

La France de 1918-1919 s'efforce d'enchaîner et d'affaiblir l'Allemagne : limitation de l'armée allemande à 100 000 hommes, réparations. De janvier 1923 à juillet 1925, les réparations se faisant attendre, la France occupe la Ruhr, déchaînant une formidable réaction nationale.

Dans la seconde moitié des années 1920, avec Briand aux Affaires étrangères, la France change radicalement de ligne. Briand, faisant, selon sa formule, « la politique de la démographic de la France », parie pour une réconciliation franco-allemande. C'est l'esprit du pacte de Locarno (16 octobre 1925).

Avec la venue d'Hitler au pouvoir en Allemagne (30 janvier 1933), la France a-t-elle encore une politique ? D'un côté, elle tente d'ériger son territoire en forteresse (construction, dans les années 1930, de la ligne Maginot). De l'autre, elle revient à ce qui a été sa démarche dans la période 1890-1914 : l'alliance de revers, visant à imposer à l'Allemagne, en cas de guerre, un combat simultané à l'ouest et à l'est. C'est l'objet notamment du traité franco-soviétique d'assistance mutuelle, signé le 2 mai 1935. Mais la France des années 1930, engluée tant dans la stagnation économique que dans l'instabilité politique, n'achève rien : la ligne Maginot ne couvre pas la frontière franco-belge ; la France abandonne ou soutient mal ses alliés (surtout la Tchécoslovaquie, par les accords de Munich en septembre 1938) ; enfin, la convention militaire, appelée à compléter le traité franco-soviétique de 1935, est négociée au cours de l'été 1939 ... et vite enterrée par le coup de tonnerre du pacte germano-soviétique (23 août 1939), mettant Hitler à l'abri d'une lutte sur deux fronts. Le décor est en place pour un nouveau désastre.

D/ 1940-1945 : la deuxième débâcle et le retour d'une France victorieuse

Mai-juin 1940 fait partie de ces désastres qui marquent de manière indélébile la mémoire d'un peuple. En six semaines, l'armée française — alors considérée comme la plus forte d'Europe — est balayée par la stratégie allemande de la guerre-éclair. Les Français fuient sur les routes ; c'est l'exode.

Pendant un peu plus de quatre ans, la France vit sous l'occupation allemande. À la différence de la majorité des autres pays occupés, la France signant un armistice avec l'Allemagne (22 juin 1940), garde, avec l'État français de Pétain à Vichy, un régime légal qui, croyant « finasser » avec l'Allemagne hitlérienne, s'engage avec elle dans la collaboration.

Cette période tragique pèse lourd dans l'histoire des Français. Elle peut expliquer beaucoup d'attitudes, qui semblent parfois contradictoires. Ainsi, dans les guerres de décolonisation (Indochine, Algérie), l'armée française cherchera en vain cette victoire militaire qui annulerait la débâcle de 1940. De même la reconstruction remarquablement réussie, après la guerre, prendra appui sur la volonté d'effacer cette période (tout comme la Prusse renaissante après Iéna). Enfin si, dès 1945, de Gaulle fait de l'acquisition de l'arme atomique une priorité pour la France, c'est pour ne jamais voir se reproduire une telle humiliation.

1945, date du retour de la France parmi les grands vainqueurs, efface-t-elle celle de 1940 ? L'intransigeance, l'énergie de de Gaulle suppriment-elles les compromissions de Pétain ? Ces interrogations demeurent. En 1944, de Gaulle ne voit, ne veut voir qu'une France unie, victorieuse, ayant gagné la guerre par elle-même.

E/ 1946-1962 : la fin de l'Empire

La construction de l'empire colonial français est l'aventure d'une poignée d'hommes. Il s'agit soit (pour Bismarck, en particulier) d'une compensation pour apaiser l'humiliation de 1870, soit (pour Clemenceau regardant vers la ligne bleue des Vosges) d'un dangereux oubli de l'essentiel : le retour de l'Alsace-Lorraine au sein de la France.

Avec la Première Guerre mondiale, l'Empire prend, pour la France une valeur essentielle. L'Empire fournit les soldats et parfois aussi les ouvriers qui manquent à la France. L'Empire doit aussi apporter débouchés et matières premières à une industrie française frileuse, frappée, à partir de 1932, par la crise. Comme l'écrivent alors les manuels de l'école laïque, « l'honneur de la IIIe République est d'avoir constitué à la France un empire qui fait d'elle la seconde puissance coloniale du monde » (citation dans Charles Robert Ageron « L'exposition coloniale de 1931, Mythe républicain ou mythe impérial ? », *Les Lieux de mémoire, I. La République,* Gallimard, 1984, p. 561).

Avec la guerre de 1939 et surtout la défaite de 1940, l'Empire devient l'ultime rempart d'une puissance française en plein naufrage. Pour les signataires de l'armistice avec l'Allemagne, l'honneur est sauf, Hitler laissant fort habilement à la France les derniers signes de sa grandeur : la flotte et l'Empire. Tout au long du conflit mondial, l'Empire est un enjeu entre Pétain et de Gaulle — mais aussi entre la France et les autres belligérants : Allemagne, Grande-Bretagne, États-Unis.

À l'issue de la guerre, en 1945, la France de de Gaulle veut ignorer l'impact dévastateur qu'a eu la défaite sur les peuples colonisés et tient à rétablir son autorité dans l'Empire. C'est l'engrenage : près de huit ans de combats en Indochine, également près de huit ans en Algérie. La France rencontre à nouveau la défaite (Diên Biên Phu en 1954) et l'humiliation (expédition franco-britannique, en 1956, à Suez, stoppée par Washington et Moscou).

En 1962, avec l'indépendance de l'Algérie, de Gaulle met fin à l'Empire. Il reste à la France et à ses anciennes possessions à définir laborieusement des relations égales, adultes. Plus de trente ans après la fin de la guerre d'Algérie, la question est toujours ouverte et difficile. L'indépendance fascine, mais assumer concrètement cette indépendance est une tâche dure. Des années 1960 aux années 1980, la France et ses anciennes colonies maintiennent des relations finalement paternalistes — ce qui froisse parfois les susceptibilités (en particulier des Algériens). Or, en ces années 1990, ce « modèle » est irrémédiablement remis en cause.

Tel est l'héritage de la France en cette fin du XXᵉ siècle : beaucoup de victoires et beaucoup de défaites, les secondes tendant à l'emporter sur les premières, si l'on considère que 1918 et 1945 ne sont, finalement, pour la France, que des victoires en trompe-l'œil.

La France apparaît sans cesse tiraillée entre une arrogance protectionniste et un grand rêve d'universalité. Or aujourd'hui ces deux tendances sont fortement remises en cause : d'une part, la France, même si elle s'imagine parfois autosuffisante, est condamnée, par sa modernisation même, à l'ouverture et à l'échange ; d'autre part, l'universalisme à la française est battu en brèche par d'autres universalismes (États-Unis, d'abord) ou souffre de la dépréciation qui, en ce crépuscule du siècle, touche toutes les idéologies, qu'il s'agisse du marxisme-léninisme ou déjà du libéralisme.

La Grande Nation, issue de la Révolution française, se donne une double mission : défendre le sol sacré de la patrie et exporter les principes de 1789. Depuis la débâcle de 1870-1871, la France sait qu'elle ne peut plus défendre son territoire sans allié ; la possession de l'arme nucléaire n'abolit pas cette contrainte (en 1966, la France gaullienne reste d'ailleurs membre de l'Alliance atlantique). Quant aux principes de 1789, du fait de leur diffusion, surtout en cette fin de XXᵉ siècle, ils échappent à la France et donnent lieu à toutes les interprétations possibles.

La Seconde Guerre mondiale constitue bien pour la France — et, au-delà, pour l'Europe — une cassure. Certes, les apparences de la puissance sont toujours là ; mais, si la France obtient l'un des cinq sièges de membre permanent du Conseil de sécurité aux Nations unies, c'est grâce à l'entêtement de Churchill, anxieux de ne pas laisser la vieille Angleterre seule face aux nouveaux géants (États-Unis, Union soviétique et même Chine). De même, tout au long de la Guerre froide, la France, nonobstant le discours de de Gaulle sur l'indépendance, est et reste l'un des membres de l'Alliance atlantique, du bloc occidental protégé et dirigé par les États-Unis. La France est-elle encore une grande puissance ? Selon le propos prêté à de Gaulle, ne doit-elle pas continuer à se comporter comme une grande puissance... justement parce qu'elle n'en est plus une ?

La France et le monde : dates-clés

58-51 av. J.-C.	Conquête de la Gaule par Jules César.
Ve siècle	Grandes invasions.
Noël 496 (?)	Baptême de Clovis à Reims.
Octobre 732	Bataille de Poitiers : victoire de Charles Martel sur les musulmans.
25 décembre 800	Charlemagne, Empereur d'Occident.
Août 843	Traité de Verdun partageant l'Empire carolingien entre Charles le Chauve (France), Lothaire (Lotharingie) et Louis le Germanique (Germanie à l'est du Rhin).
1096-1270	Croisades.
27 juillet 1214	Dimanche de Bouvines : victoire de Philippe Auguste sur l'Empereur Othon IV.
7 septembre 1303	Attentat d'Anagni : Guillaume de Nogaret, représentant de Philippe le Bel, signifie au pape Boniface VIII la volonté de la France de le traduire devant un concile.
1337-1453	Guerre de Cent Ans.
Vers 1412-1431	Jeanne d'Arc.
5 janvier 1477	Mort de Charles le Téméraire. Fin de l'État bourguignon.
24 février 1525	Défaite, à Pavie, de François Ier devant Charles Quint.
6 août-8 sept. 1648	Traités de Westphalie, terminant la guerre de Trente Ans, et consacrant la prépondérance de la France en Europe.
1713-1715	Traités d'Utrecht. Fin du rêve hégémonique de Louis XIV.
10 février 1763	Traité de Paris, mettant fin à la guerre de Sept Ans, et privant la France de l'essentiel de son premier empire colonial.

3 septembre 1783	Traités de Versailles et de Paris, reconnaissant l'indépendance des États-Unis.
20 avril 1792	Déclaration de guerre de la France révolutionnaire à l'Autriche. Début des guerres révolutionnaires.
20 septembre 1792	Victoire de Valmy, au cri de « Vive la nation ».
27 octobre 1806	Après la victoire d'Iéna, Napoléon à Berlin. Hegel : « J'ai vu l'Histoire à cheval. »
9 juin 1815	Acte final du Congrès de Vienne : clôture de la « parenthèse » révolutionnaire et impériale.
1830-1857	Conquête de l'Algérie.
Janvier-juin 1848	« Printemps des peuples ».
1858-1897	Constitution de l'Indochine française.
1860	Traité de libre-échange entre la France et la Grande-Bretagne.
1863	Napoléon III, « empereur des Arabes autant que des Français ».
2 septembre 1870	Capitulation, à Sedan, de Napoléon III et de ses troupes devant l'armée prussienne.
10 mai 1871	Traité de Francfort. Cession de l'Alsace (moins Belfort) et du nord-est de la Lorraine à l'Allemagne.
1872-1912	Épanouissement du second empire colonial français : Tunisie, Afrique occidentale et équatoriale, Vietnam, Maroc.
1891-1899	Établissement de l'alliance franco-russe.
1892	Tarif protectionniste (tarif Méline).
1898	Incident de Fachoda, dans la région du Haut-Nil. La France s'incline devant l'arrivée britannique.
8 février 1904	Entente cordiale entre la France et la Grande-Bretagne.

Août 1914-nov. 1918	La Grande Guerre.
11 novembre 1918	Armistice de Rethondes.
28 juin 1919	Traité de Versailles.
11 janvier 1923- *juillet 1925*	Occupation de la Ruhr.
16 octobre 1925	Pacte de Locarno, symbole de la réconciliation franco-allemande (Briand-Stresemann).
27 août 1928	Pacte Briand-Kellogg de renonciation à la guerre comme instrument de politique nationale.
7 mars 1936	Dénonciation par l'Allemagne du pacte de Locarno et remilitarisation de la Rhénanie.
29-30 septembre 1938	Accords de Munich.
3 septembre 1939- *8 mai 1945*	Seconde Guerre mondiale.
18 juin 1940	Appel du général de Gaulle.
22 juin 1940	Armistice entre l'Allemagne et la France, à Rethondes.
8 novembre 1942	Débarquement anglo-américain en Afrique du Nord française.
4-11 février 1945	Conférence de Yalta. La France est reconnue comme l'un des cinq États vainqueurs.
26 juin 1945	Charte des Nations unies. La France est l'un des cinq membres permanents du Conseil de sécurité.
4 avril 1949	Traité de l'Atlantique Nord. La France est l'un des États signataires.
9 mai 1950	Déclaration Schuman, point de départ de la construction européenne.

27 mai 1952- *30 août 1954*	Affaire du projet de Communauté Européenne de Défense (CED), lancé puis enterré par la France.
7 mai 1954	Chute de Diên Biên Phu.
21 juillet 1954	Accords de Genève sur l'Indochine. Fin de la présence politique française dans cette région.
1ᵉʳ novembre 1954	Début de la guerre d'Algérie.
29 octobre- *15 novembre 1956*	Opération franco-britannique sur le canal de Suez. Recul des deux puissances européennes sous les pressions américaines et soviétiques.
25 mars 1957	Traités de Rome (Communauté économique européenne — CEE —, Communauté Européenne de l'énergie atomique — CEEA).
4 octobre 1958	Constitution de la Vᵉ République, dont le titre XII crée « la Communauté » entre la France et ses possessions africaines.
15 décembre 1958	Enterrement par la France du projet britannique de grande zone européenne de libre-échange.
1960	Indépendance des possessions françaises d'Afrique noire.
13 février 1960	Explosion de la première bombe atomique française.
18 juillet 1961- *17 avril 1962*	Débats autour de l'idée française d'une « Union des États » européens (plan Fouchet). Échec de ce plan.
9 novembre 1961	Plan Pisani-Baumgartner, relatif à l'organisation mondiale de l'agriculture.
14 janvier 1962	Lancement de la politique agricole commune (PAC), composante indispensable, pour la France, du Marché commun.

18 mars 1962	Accords d'Évian, terminant la guerre d'Algérie, dernier combat colonial de la France.
14 janvier 1963	Refus du général de Gaulle à l'entrée de la Grande-Bretagne dans les Communautés européennes.
22 janvier 1963	Traité franco-allemand d'amitié et de coopération, dit de l'Élysée.
27 janvier 1964	Relations diplomatiques entre la France et la Chine populaire.
4 février 1965	Conférence de presse du général de Gaulle, préconisant la restauration de l'étalon-or.
1er juillet 1965-29 janvier 1966	Crise de « la chaise vide », s'achevant par le « compromis » de Luxembourg (exigence d'un consensus pour l'adoption des décisions communautaires portant sur « des intérêts très importants »).
21 février 1966	Retrait de la France des structures militaires intégrées de l'Alliance atlantique.
20 juin-1er juillet 1966	De Gaulle en Union soviétique : détente, entente, coopération.
1er septembre 1966	Discours de Phnom Penh.
18 mai 1967	Nouveau « non » du général de Gaulle à la deuxième candidature du Royaume-Uni aux Communautés européennes.
5 juin 1967	Guerre des Six Jours au Proche-Orient. Embargo de la France sur les livraisons d'armes.
23-26 juillet 1967	De Gaulle au Québec.
13 mai 1968-27 janvier 1973	Conférence de Paris sur le Vietnam.
24 août 1968	Premier essai d'une bombe « H » par la France.

24 novembre 1968	Décision de maintien de la parité du franc par le général de Gaulle.
4 février 1969	Entretien de Gaulle-Soames (proposition d'un directoire politique européen, associant la Grande-Bretagne).
1ᵉʳ-2 décembre 1969	Sommet des Six des Communautés à La Haye, autour du triptyque suggéré par la France (« Achèvement, approfondissement, élargissement »).
20 mars 1970	Agence de coopération culturelle et technique des pays francophones.
21 avril 1972	Référendum, en France, approuvant l'élargissement des Communautés à la Grande-Bretagne, à l'Irlande et au Danemark.
19-21 octobre 1972	Premier sommet réunissant les Neuf à Paris.
13 novembre 1973	Premier sommet annuel franco-africain, à Paris.
11-13 février 1974	Conférence de Washington sur l'énergie. Refus de la France de participer à l'Agence Internationale de l'Énergie.
9-10 décembre 1974	Sommet des Neuf à Paris. Création, à l'initiative de la France et de l'Allemagne fédérale, du Conseil européen, réunion régulière des chefs d'État et de gouvernement des Communautés.
15-17 novembre 1975	À l'initiative de la France, premier sommet annuel des principales démocraties industrielles — qui deviendra le G7 —, à Rambouillet.
16 décembre 1975-3 juin 1977	À Paris, Conférence sur la coopération économique internationale (CCEI), ou dialogue Nord-Sud. Aucune conclusion contraignante.
13-23 mai 1978	Opération franco-belge d'évacuation d'Européens à Kolwezi (Shaba).

28 mai 1978	Plan français de désarmement présenté par Valéry Giscard d'Estaing devant l'Assemblée générale des Nations unies.
13 mars 1979	Mise en place du Système monétaire européen (SME), d'initiative franco-allemande.
21-22 mai 1979	Sommet franco-africain de Kigali (Rwanda). Thème du trilogue euro-afro-arabe (compétences européennes, bras africains, capitaux arabes).
3 février 1982	Accord Sonatrach algérienne-Gaz de France, garantissant un prix d'achat du gaz algérien, et se voulant exemplaire dans les rapports Nord-Sud.
5-6 juin 1982	Sommet des sept principales démocraties industrielles à Versailles. La France en pleine crise monétaire.
19 janvier 1983	Discours de François Mitterrand au Bundestag : soutien au déploiement de missiles américains face aux SS 20 soviétiques.
21 mars 1983	Maintien du franc français dans le mécanisme de change européen.
8 août 1983- *31 août 1989*	Intervention militaire française au Tchad, face à la pénétration libyenne.
28 septembre 1983	Propositions françaises de désarmement présentées par François Mitterrand devant l'Assemblée générale des Nations unies.
17 janvier 1984- *22 septembre 1986*	Conférence de Stockholm, d'inspiration française, sur le désarmement en Europe (mesures de confiance).
25-26 juin 1984	Conseil européen à Fontainebleau. Compromis sur la contribution budgétaire de la Grande-Bretagne.
18-19 février 1986	Premier sommet de la francophonie, à Paris-Versailles.
27-28 février 1986	Relance de la coopération stratégique et militaire franco-allemande.

Avril 1986	Abandon de l'accord franco-algérien de garantie du prix du gaz.
22 janvier 1988	Création d'un Conseil de défense et de sécurité et d'un Conseil économique et financier franco-allemands.
8 décembre 1989	Conseil européen à Strasbourg : « Le peuple allemand retrouvera son unité à travers une libre auto-détermination ».
18 avril 1990	Relance franco-allemande pour une union économique et monétaire et une union politique de l'Europe des Douze.
29 mai 1990	Convention créant la Banque Européenne de Reconstruction et de Développement (BERD), signée à Paris.
19-21 novembre 1990	Sommet de la Conférence sur la sécurité et la coopération en Europe (CSCE), à Paris, jetant les fondements d'un nouvel ordre européen.
24-28 février 1991	Opérations terrestres de la guerre du Golfe (libération du Koweit occupé par l'Irak). Participation française.
20 avril 1991	Opération « Provide comfort » (« zone de protection » pour les Kurdes d'Irak). Participation française.
12-14 juin 1991	À l'initiative de la France, assises de Prague pour une confédération européenne. Proposition fraîchement accueillie.
7 février 1992	Traité de Maastricht sur l'Union européenne, issu d'une initiative franco-allemande.
21 février 1992	Envoi de casques bleus en ex-Yougoslavie. Participation de soldats français.
22 mai 1992	Sommet franco-allemand à La Rochelle : création d'un corps d'armée franco-allemand (environ 40 000 hommes).
20 septembre 1992	Approbation par la France du traité de Maastricht (votants : 69,69 % ; oui : 51,04 % ; non : 48,95 %).

14-15 décembre 1992	Session ministérielle de la CSCE. Création d'une Cour européenne de conciliation et d'arbitrage, issue d'une idée française (proposition Badinter).
12 janvier 1994	Dévaluation de 50 % du franc CFA. Fin des relations inconditionnelles entre la France et l'Afrique francophone au sud du Sahara.
26-27 mai 1994	Conférence, à Paris, lançant le projet de Pacte de stabilité en Europe (d'initiative française, et devenu « action commune » de l'Union européenne).
22 juin 1994	Résolution 929 du Conseil de Sécurité des Nations-Unies, autorisant, pendant deux mois, la France à mener une opération humanitaire au Rwanda.

— 2 —

La France : les attributs
d'une grande puissance

« Notre indépendance répond donc, non pas seulement à ce qu'exigent l'estime et l'espérance de notre peuple envers lui-même, mais encore à ce qu'attend de nous tout l'univers. Pour la France, il en résulte à la fois de puissantes raisons de fierté et de pesantes obligations. Mais n'est-ce pas sa destinée ? » (Charles de Gaulle, *Mémoires d'espoir*, « Le renouveau », Plon, p. 282.) « La politique extérieure de la France s'ordonne autour de quelques idées simples : l'indépendance nationale, l'équilibre des blocs militaires dans le monde, la construction de l'Europe, le droit des peuples à disposer d'eux-mêmes, le développement des pays pauvres [...]. On y relèvera à la fois la trace continue du sillon, creusé par le destin bientôt millénaire de la plus ancienne nation d'Europe, et la marque particulière qu'imprime à la vie d'un peuple celui qui le conduit » (François Mitterrand, *Réflexions sur la politique extérieure de la France*, Fayard, 1986, p. 7).

Ces deux textes ont pour auteurs deux hommes qui se sont vigoureusement opposés. Mais ils partagent une vision commune de la place et du rôle de la France dans le monde : souci d'inscrire le présent dans la continuité d'une histoire millénaire ; volonté de promouvoir des principes, se résumant dans le terme « indépendance » ; conscience d'un message à diffuser à une humanité qui l'attendrait.

Ainsi, l'action extérieure de la France doit, dans le même mouvement, défendre ses intérêts et développer une conception de l'ordre mondial, cette imbrication de réalisme et d'idées entraînant parfois une certaine naïveté, peut-être de l'excès et aussi de l'hypocrisie. Il est parfois difficile de concilier les visions grandioses et les contraintes des engagements concrets.

Depuis 1945, ce statut de grande puissance de la France s'appuie sur trois piliers, auxquels sont attachées, en cette fin de XXe siècle, des difficultés spécifiques : le siège de membre permanent au Conseil de sécurité de l'Organisation des Nations unies (ONU) (I) ; l'acquisition d'une force indépendante de dissuasion nucléaire (II) ; le rayonnement sur une sphère d'influence, s'étendant au Maghreb et à une partie de l'Afrique au sud du Sahara (III).

I - LA FRANCE, MEMBRE PERMANENT DU CONSEIL DE SÉCURITÉ DE L'ONU

Pour de Gaulle, la grandeur, l'honneur de la France vont de soi ; il est donc légitime qu'elle reçoive, en 1945, aux côtés des États-Unis, de l'Union soviétique, de la Chine et de la Grande-Bretagne, un siège de membre permanent au Conseil de sécurité de l'ONU.

A/ De la méfiance au ralliement (1945-années 1980)

◆ La IVe République et l'ONU

La France ne saurait être enthousiaste pour l'ONU, enfantée par les États-Unis, nourrie de leur moralisme parfois hypocrite, de leur arrogance naïve voulant soumettre la terre entière aux mêmes règles. De plus, les principes directeurs de l'ONU sont définitivement arrêtés par la conférence de Yalta (4-11 février 1945), à trois (Roosevelt, Churchill, Staline), rencontre qui, la France n'étant pas présente, ne peut être qu'« inadmissible », pour de Gaulle. Bien que les conclusions des Trois comportent pour la France « d'importantes satisfactions » (De Gaulle, *Mémoires de guerre,* tome 3, « Le Salut », 1959, p. 104), la France refuse de figurer parmi les « puissances invitantes » de la conférence de San Francisco, établissant la Charte de l'ONU (25 avril-26 juin 1945).

De plus, deux péripéties majeures confirment la France dans ses réticences.

— En octobre 1955, l'Assemblée générale de l'ONU inscrit la question algérienne à son ordre du jour. La délégation française se retire, considérant qu'il s'agit d'une ingérence inadmissible dans les affaires intérieures de la France.

— En octobre 1956, à la suite de la nationalisation du canal de Suez par Nasser, la Grande-Bretagne et la France, en liaison avec Israël, veulent donner une leçon à l'Égypte et envoient un corps expéditionnaire dans la zone du canal. Le rappel à l'ordre par Washington et Moscou est brutal : l'époque de la diplomatie de la canonnière par des puissances européennes est close. À l'ONU, la Grande-Bretagne et la France utilisent leur droit de veto pour bloquer toute résolution du Conseil de sécurité exigeant le retrait de leurs soldats. Alors, avec la bénédiction des deux super-grands, l'Assemblée générale adopte le plan pour l'envoi d'une force d'urgence au Proche-Orient. Pour Londres et Paris, l'aventure se finit piteusement.

À travers ces deux déconvenues, la France se heurte à la fois aux revendications décolonisatrices et au poids des nouveaux maîtres du monde, les États-Unis et l'Union soviétique.

◆ De Gaulle et le « machin »

Pour de Gaulle, la politique étrangère est un jeu noble, tragique, secret entre des monstres froids : les États. Dans cette perspective, l'ONU présente trois faiblesses :

— Même si le Conseil de sécurité comprend cinq membres permanents (dont la France) avec droit de veto, il tend à être confisqué par la concertation américano-soviétique, issue de Yalta, qui aurait partagé le monde, et que dénonce de Gaulle.

— L'ONU, par sa structure même, a quelque chose d'un parlement (Assemblée générale) et d'un gouvernement (Conseil de sécurité) planétaires. Or, pour la France gaullienne, ce ne sont là que des artifices, des sources d'illusions, les seules réalités étant les nations.

— Enfin, « le point longtemps fondamental pour la France a été de faire respecter le principe clairement affirmé par la charte de la non-intervention des Nations unies dans les affaires intérieures des États-membres. Cela signifiait en l'occurrence que la décolonisation était de la responsabilité exclusive des États auxquels elle incombait et que l'ONU n'avait pas, en intervenant à tort et à travers, à rendre plus difficile ce qui l'était déjà suffisamment pour lui-même...» (Maurice Couve de Murville, *Une politique étrangère, 1958-1969,* Plon, 1971, p. 457).

Ici, de Gaulle reste un Européen, attaché à la diplomatie classique, oscillant sans fin entre équilibres et déséquilibres de puissances.

◆ Le ralliement

À partir de *la présidence de Valéry Giscard d'Estaing* (1974-1981), la France se rapproche à petits pas de l'ONU. La décolonisation étant achevée ou presque (dossier de l'autodétermination de la Nouvelle-Calédonie en 1986-1987), la France n'a plus à redouter les ingérences onusiennes. De plus, dans les années 1970, l'Assemblée générale de l'ONU, désormais composée aux deux tiers d'États du tiers monde, s'impose comme une tribune universelle. D'où l'importance de s'adresser à elle : le 28 mai 1978, le chef de l'État français présente devant elle un plan global de désarmement. Par ailleurs, en mars 1978, des soldats français participent pour la première fois à une opération de l'ONU (Force intérimaire des Nations unies au Sud Liban, FINUL).

Le ralliement s'affirme et s'approfondit sous *la présidence de François Mitterrand* (1981-1994).

B/ Raisons, enjeux et problèmes du ralliement

◆ Pourquoi le ralliement à l'ONU ?

Le ralliement de la France à l'ONU, dans les années 1980, est sans doute teinté d'une conviction idéologique. Si de Gaulle est un réaliste, pour lequel les rapports entre États ne sont que de force, François Mitterrand est imprégné de l'idée de sécurité collective, dont était issue, au lendemain de la Grande Guerre (1914-1918), la Société des Nations : la paix peut être garantie par la concertation intergouvernementale et la promotion de règles encadrant, disciplinant l'État souverain.

Néanmoins la raison déterminante de l'évolution de la France réside dans les transformations de l'environnement international.

— De la fin des années 40 à la seconde moitié des années 80, l'ONU, ou plutôt le Conseil de sécurité, responsable du maintien de la paix, est à demi paralysé par l'antagonisme Washington-Moscou. Certes il arrive que les deux super-grands parviennent à des positions communes (par exemple, sur le conflit israélo-palestino-arabe), mais la menace permanente de l'utilisation du veto (si l'un ou l'autre considère que l'un de ses intérêts majeurs est menacé) grippe le Conseil de sécurité. Or, Mikhaïl Gorbatchev, accédant à la tête de l'URSS (1985), et soucieux d'affirmer sa bonne volonté, son ouverture, opte pour une démarche de dialogue et de coopération au Conseil de sécurité. Celui-ci est alors en mesure de contribuer au règlement de litiges, en partie entretenus par le bras de fer américano-soviétique (Namibie, Cambodge...). La France, pour ne pas s'isoler, ne peut que s'associer à cette nouvelle configuration.

— D'août 1990 à avril 1991 survient une épreuve majeure pour le « nouvel ordre mondial » : l'invasion du Koweït par l'Irak de Saddam Hussein. Les États-Unis de George Bush font de cette affaire un test du respect du « droit international » : le Koweït doit être libéré, avec le soutien de la communauté internationale et d'abord des grandes puissances (donc du Conseil de sécurité). La France, oubliant quelque peu son image de nation indépendante menant une politique arabe propre, agit en État occidental, allié des États-Unis, et participe activement à la mise au point des résolutions du Conseil de sécurité punissant l'Irak et autorisant le recours à la force contre cet État.

— Les bouleversements de 1989-1991 (écroulement des régimes communistes Est-européens, unification de l'Allemagne, dissolution de l'Union soviétique) marquent la fin de l'après-guerre : la question allemande est réglée, l'Allemagne est à nouveau un État « comme les autres ». Or, en 1945, ont été choisis comme membres permanents du Conseil de sécurité les cinq principaux vainqueurs (États-Unis, Union soviétique, Chine, Grande-Bretagne, France). Le dispositif onusien de la fin du XXe siècle et d'abord la composition de l'organe chargé du maintien de la paix peuvent-ils dès lors rester en l'état ? Le Conseil de sécurité peut-il demeurer la photographie d'une situation dépassée ? Ne doit-il pas refléter la nouvelle donne mondiale, accueillir l'Allemagne, le Japon, peut-être l'Inde, le Brésil ? Mais cette ouverture n'impliquerait-elle pas, afin de préserver le caractère de club restreint du Conseil, l'exclusion des plus petits membres permanents (Grande-Bretagne, France) ? Face à de tels débats, la France, attachée à son statut de grande puissance, se doit de prouver qu'elle a un engagement actif au sein de l'organisation mondiale, bref qu'elle mérite bien son siège de membre permanent.

Opérations	Total des effectifs	Contingents français
FORPRONU (à partir de 1993) (Ex-Yougoslavie)	31 000	4 890
APRONUC (1992-1993) (Cambodge)	16 000	1 470 (retirés fin 1993)
FINUL (à partir de 1978) (Liban)	5 800	530
UNISOM II (1993) (Somalie)	36 000	1 100 (retirés fin 1993)
MINURSO (à partir de 1991) (Sahara Occidental)	1 000	30
ONUST (à partir de 1978) (Syrie-Liban)	300	18
MONUIK (à partir de 1991) (Irak-Koweït)	300	15
ONUSAL (à partir de 1992) (Salvador)	500	15

◆ **Signes et problèmes du ralliement**

Ce ralliement de la France se manifeste de la manière la plus concrète.

• *En 1994, la France est, de tous les États membres de l'ONU, le plus important « fournisseur » de casques bleus.* Au sein des forces de l'ONU dans le monde (environ 70 000 hommes), les soldats français sont au nombre de 12 000 (dont 9 000 casques bleus), soit un sixième des effectifs.

Cette présence de soldats français dans des zones dangereuses (Cambodge, ex-Yougoslavie) souligne la volonté de responsabilité de la France, son acceptation d'un possible « prix du sang » à payer pour le rétablissement de la paix dans des régions n'affectant pourtant pas directement sa sécurité.

• Cet engagement de la France s'accompagne de *charges financières*. La France règle scrupuleusement sa contribution annuelle à l'ONU. Les opérations pour le compte de l'ONU se traduisent par un fardeau supplémentaire (2,4 milliards de francs en 1992 ; 5,3 en 1993). Enfin l'organisation mondiale, qui souffre d'une crise financière chronique, rembourse de manière de plus en plus aléatoire la part qu'elle est censée assumer.

Ce choix de la France soulève au moins deux questions :

● *Cet apport d'hommes et d'argent* à l'ordre mondial est d'autant plus lourd que, comme tous les pays occidentaux pris dans des contraintes budgétaires aiguës, la France procède à une réduction de ses dépenses militaires. Comment concilier l'engagement onusien et les autres impératifs de la défense française ?

● *Quel est l'avenir de l'ONU ?* Le système bâti en 1945 peut-il subsister en l'état ou est-il condamné à subir des transformations radicales ? Depuis la fin des années 1980, l'ONU, du fait des bouleversements mondiaux, a pris en charge plusieurs des dossiers dont les grandes puissances (d'abord les États-Unis et l'Union soviétique) ne savaient que faire. En ces années 1990, la formule révèle ses limites : l'organisation mondiale est asphyxiée (financièrement, politiquement) par les missions qui lui reviennent ; en outre, sur le terrain — d'abord dans l'ex-Yougoslavie —, les forces onusiennes apparaissent de plus en plus tiraillées entre leurs tâches humanitaires, qui leur interdisent de prendre parti, et les réalités de la guerre.

La charte de l'ONU de 1945 est toujours en vigueur. Mais cela signifie-t-il que l'équilibre de 1945 peut se perpétuer ?

II - LA FRANCE, PUISSANCE MILITAIRE INDÉPENDANTE ?

La politique — notamment de défense — de la plupart des États est indissociable de souvenirs, de traumatismes. Les gouvernants français ne sauraient oublier que la dernière guerre menée seule par la France sur son territoire (guerre franco-prussienne de 1870-1871) s'est achevée en désastre, et qu'en juin 1940, la France s'est révélée impuissante devant l'envahisseur. Le motif fondamental de la politique française de défense est de ne jamais revivre de telles humiliations. Cependant cette politique ne peut faire abstraction de lourdes réalités : la France est, par son territoire et sa population, un pays de taille moyenne ; elle est située en Europe, continent où, de la fin des années 1940 à celle des années 1980, se font face deux blocs politico-militaires, l'Alliance atlantique sous la direction des États-Unis, le pacte de Varsovie sous celle de l'Union soviétique.

A/ L'Alliance et l'indépendance

Depuis la fin de la Seconde Guerre mondiale, la défense de la France repose sur un compromis plus ou moins masqué.

◆ D'un côté, l'appartenance à l'Alliance atlantique

● *La France, membre fondateur de l'Alliance*
À l'issue de la guerre, la France considère que son « ennemi héréditaire » reste l'Allemagne ; il faut tout faire pour empêcher une renaissance de la force allemande (en particulier, en détachant la Ruhr, où se concentrent le charbon et l'acier allemands). Mais la France découvre vite qu'elle appartient à une nouvelle Europe, dominée par l'affrontement américano-soviétique.

Tout d'abord, face à la menace de Staline, les États-Unis, pays-continent, constituent le contrepoids indispensable. Il est essentiel de les ancrer à l'Europe occidentale. La France est l'un des fondateurs de l'Alliance atlantique (4 avril 1949), garantissant qu'en cas d'agression (en fait contre l'Europe occidentale), tous les États de l'Alliance, donc les États-Unis, s'assisteront mutuellement et prendront toutes les mesures nécessaires « y compris l'emploi de la force armée ». Dans les années 1950, la France accueille, sur son sol, des éléments du commandement militaire intégré de l'OTAN (Organisation du traité de l'Atlantique Nord), mis en place en 1950, ainsi que vingt-neuf bases et dépôts américains.

Par ailleurs, ce poids des États-Unis est ressenti par la France dans sa relation avec l'Allemagne. Celle-ci, vaincue, devient tout de suite un enjeu entre l'Occident et l'Union soviétique. Les États-Unis et leur fidèle second, la Grande-Bretagne, sont vite convaincus que la partie occidentale de l'Allemagne, qu'ils occupent avec la France, doit être reconstruite, dotée d'une monnaie et d'un État et, enfin, d'une armée, car elle se trouve en première ligne en cas d'attaque communiste. Pour la France, encore si proche de l'occupation de 1940-1944, cette perspective de « réarmement allemand » est difficile à accepter. Pour Washington, le principe de ce réarmement est irrévocable ; toutefois la France est libre de proposer des modalités capables d'apaiser son inquiétude. D'où le plan Pleven de Communauté européenne de défense (CED, 24 octobre 1950), visant à intégrer l'armement de la République fédérale d'Allemagne dans une structure supranationale européenne, analogue à celle qui a été réalisée pour le charbon et l'acier (Communauté européenne du charbon et de l'acier, CECA, 18 avril 1951). Mais, en 1952-1954, la France se divise violemment sur ce projet (c'est la querelle de la CED) : pour les partisans de « l'armée européenne », ce serait là un pas décisif vers le dépassement des nationalismes — d'abord allemand et français —, qui ont mené l'Europe à sa destruction ; pour les opposants (notamment gaullistes et communistes), la CED signifierait le renoncement de la France à sa souveraineté, à la maîtrise de sa défense. Le 30 août 1954, l'Assemblée nationale enterre l'affaire en refusant de débattre de la ratification du traité de la CED. L'Allemagne est réarmée dans le cadre des accords de l'Union de l'Europe occidentale (UEO, 23 octobre 1954) et rejoint l'OTAN en 1955.

• *Le retrait de la France des structures militaires intégrées*

Le 21 février 1966, le général de Gaulle (dont chaque conférence de presse est pimentée par l'annonce d'une décision spectaculaire) déclare que la France se retire des structures militaires intégrées de l'Alliance atlantique.

Pourquoi ? Par le mémorandum du 17 septembre 1958, de Gaulle, revenu au pouvoir depuis quelques mois, préconise un directoire atlantique, associant Washington, Londres et Paris dans une approche concertée des problèmes planétaires, et donc consacrant la France comme l'un des trois grands de la communauté occidentale ; cette suggestion se heurte à l'indifférence des États-Unis et de la Grande-Bretagne. Par ailleurs, à partir de 1963, s'installe un climat de détente entre l'Est et l'Ouest. Pour de Gaulle, il y là une occasion : la France, en affirmant son indépendance vis-à-vis du protecteur américain, peut s'imposer face à l'Union soviétique comme un interlocuteur « particulier », membre du camp occidental, mais existant par lui-même. Le retrait de la France des structures militaires intégrées s'inscrit dans cette démarche.

La France reconquiert donc sa souveraineté en matière de défense ; elle se retire des organismes proprement militaires. Toutes les implantations de l'Alliance sur le territoire français sont évacuées.

Cependant la France reste membre de l'Alliance atlantique, au sein de laquelle elle obtient un statut spécifique : il s'agit notamment des *accords Ailleret-Lennitzer* (22 août 1967), selon lesquels l'engagement des forces françaises aux côtés de l'Alliance atlantique est décidé en toute souveraineté par les autorités françaises et peut entraîner leur passage sous contrôle opérationnel allié, ces forces restant alors groupées sous un commandement opérationnel national. La France et l'Alliance concluent peu à peu une cinquantaine de protocoles portant sur des points logistiques et techniques. Où l'intégration commence-t-elle, et où s'arrête-t-elle ? Dans le cas du déclenchement d'un conflit en Europe, la France reste souveraine, libre d'engager ou de ne pas engager ses forces.

◆ De l'autre côté, l'indépendance par la dissuasion nucléaire

● *Une approche d'abord politique*

En 1945, de Gaulle est conscient de la révolution stratégique que représente l'atome. Le 11 juillet 1944, à Ottawa, il a été informé, par des scientifiques français, des travaux en cours, de leurs enjeux : « "Monsieur le Professeur", me dit simplement [le Général], "Je vous remercie, j'ai très bien compris" » (Bertrand Goldschmidt, *Le Complexe atomique,* 1980, p. 72).

Le 18 octobre 1945, par la création du Commissariat à l'énergie atomique (CEA), la France affirme son ambition de développer, en matière civile, les applications de la fission nucléaire. C'est le 26 décembre 1954, sous le gouvernement Mendès France, qu'est lancée l'idée d'une option militaire. Les États-Unis et l'Union soviétique sont engagés dans une course aux armements nucléaires. La Grande-Bretagne dispose de la bombe « A » depuis 1952 et s'engage dans la fabrication de la bombe « H ». La France, si elle veut conserver un rôle international, doit suivre le même chemin. Le 13 février 1960 a lieu le premier essai français d'une bombe « A », et le 24 août 1968, le premier essai d'une bombe « H ».

La raison fondamentale de la France, dans cet effort, est politique : la France se veut une grande puissance existant face aux super-grands ; elle est membre permanent du Conseil de sécurité ; elle doit être présente dans le club nucléaire, où se retrouvent évidemment les cinq membres permanents.

• *La doctrine et les moyens de la dissuasion à la française*

C'est sur son armement nucléaire que la France fonde son indépendance. Ce choix implique d'abord que la France soit maîtresse de tout le processus, de la mise au point et la fabrication des armes à la production des matières fissiles nécessaires. Ainsi, en 1963, de Gaulle refuse de se lier aux États-Unis par des accords analogues à ceux de Nassau (21 décembre 1962) entre le président Kennedy et le Premier ministre MacMillan (fourniture au Royaume-Uni de fusées Polaris).

La France, vulnérable par sa situation géographique, et ne pouvant acquérir un potentiel égal à celui des super-grands, doit bâtir une doctrine adaptée à ses capacités. Une « école » de pensée stratégique française (généraux Beaufre, Gallois, Ailleret, Poirier) conceptualise la vision gaullienne. Il s'agit surtout de *la dissuasion du faible au fort*. « La dissuasion du faible au fort est fondée à la fois sur l'égalité entre le crime et le châtiment pour le faible et sur la disproportion entre l'espérance de gain et le risque pour le fort. Elle suppose l'asymétrie des intérêts respectifs du faible et du fort : vital pour le premier (espace national sanctuarisé), marginal pour le second » (Lucien Poirier, *Des stratégies nucléaires,* 1977).

Cette prose savante compare les calculs du fort (l'agresseur) et ceux du faible (l'agressé). Pour le premier, l'avantage que représenterait la prise du faible (la France) doit être supérieur au coût des destructions qu'il subirait si ce faible se défendait. Le faible, qui protège son propre territoire, doit être en mesure de faire chez l'attaquant des dégâts excédant le bénéfice qu'apporterait sa conquête (notion de représailles massives).

La France, à son échelle, veut, afin de réduire au maximum les risques, une panoplie diversifiée et construit une triade comparable au dispositif des États-Unis : d'abord avions portant des engins nucléaires (Mirage-IV, noyau dur de la dissuasion dans les années 1960) ; puis missiles basés à terre (silos du plateau d'Albion opérationnels de 1971 à 1996) ; enfin, également à partir de 1971, sous-marins à propulsion nucléaire, équipés de missiles nucléaires.

Avec les sous-marins, la France détient l'outil idéal de la dissuasion du faible au fort. Le sous-marin nucléaire, se déplaçant sans cesse au fond des océans, ne peut être repéré et donc neutralisé par un agresseur éventuel ; le sous-marin est en mesure de frapper à tout moment, de n'importe où, et n'importe quel but. D'où une rotation de patrouilles, assurant constamment à au moins deux sous-marins, la possibilité d'intervenir.

• Les exigences de la crédibilité

La crédibilité de la France dans ce domaine de l'atome militaire repose sur trois conditions :

— *L'adaptation et la modernisation permanentes des instruments.* Tout au long des décennies de l'antagonisme Est-Ouest (1947-1989), les armements, notamment nucléaires, font l'objet d'une compétition constante, chacun des super-grands cherchant à avoir « l'arme absolue », celle qui lui garantira une supériorité décisive. La France doit donc rester invulnérable, c'est-à-dire perfectionner, améliorer ses forces nucléaires, qu'il s'agisse d'empêcher la détection de ses sous-marins ou d'acquérir des vecteurs plus efficaces (par exemple, missiles à têtes multiples dans les années 1980).

— *Le consensus nucléaire.* Toute défense dans une démocratie repose sur l'accord de la population. Or si, dans les années 1960, la force de frappe, au moment de sa constitution, est contestée par la majorité des partis politiques (sauf, évidemment, le courant gaulliste), la dissuasion nucléaire reçoit progressivement une adhésion quasi générale des Français. L'arme atomique satisfait l'idée d'indépendance. Et, surtout, cette arme paraît faire de la France un sanctuaire à l'abri de toute guerre sur son sol, les tentations d'agression étant découragées par la certitude d'une riposte brutale.

— *La décision d'un seul.* La crédibilité de la dissuasion impose que le détenteur du pouvoir de déclencher le feu nucléaire soit bien perçu par l'agresseur potentiel comme capable de mettre effectivement en œuvre sa menace ; dans l'hypothèse contraire, le jeu « au bord du gouffre » de la dissuasion ne serait qu'une vaine gesticulation. Cette responsabilité suprême du « bouton atomique » appartient au seul président de la République, les circuits de transmission étant conçus pour que son ordre (certes dûment vérifié) parvienne directement aux moyens de tir.

B/ La France à la recherche d'une nouvelle doctrine de défense

L'indépendance n'existe pas en soi. Dans le champ social, politique, il s'agit toujours d'indépendance vis-à-vis d'une réalité précise. L'indépendance gaullienne en matière de défense est en fait un équilibre temporaire, indissociable d'une configuration historique. Dans ces années 60, la

Puissance, indépendance, défense

— Mémorandum du 17 septembre 1958 (Extrait) :
« La France ne saurait donc considérer que l'OTAN, sous sa forme actuelle, satis-fasse aux conditions de la sécurité du monde libre, et notamment de la sienne propre. Il lui paraît nécessaire que, à l'échelon politique et stratégique mondial, soit instituée une organisation comprenant les États-Unis, la Grande-Bretagne et la France. Cette organisation aurait, d'une part, à prendre les décisions communes dans les questions politiques touchant à la sécurité mondiale, d'autre part, à établir et, le cas échéant, à mettre en application les plans d'action stratégique, notam-ment en ce qui concerne l'emploi des armes nucléaires. »

— Aide-mémoire adressé par la France aux États membres de l'OTAN, le 10 mars 1966 (Extraits) :
« Depuis des années, le gouvernement français a marqué en de nombreuses occa-sions, tant publiquement que dans des entretiens avec les gouvernements alliés, qu'il considérait que l'Organisation du traité de l'Atlantique Nord ne répondait plus, pour ce qui le concerne, aux conditions qui prévalent dans le monde à l'heure actuelle et qui sont fondamentalement différentes de celles de 1949 et des années suivantes.
[...] Dès lors la France est conduite à tirer, en ce qui la concerne, les conséquences de la situation, c'est-à-dire à prendre pour elle-même les mesures qui lui paraissent s'imposer, et qui ne sont à son sens nullement incompatibles avec sa participation à l'Alliance, non plus qu'avec sa participation, le cas échéant, à des opérations militaires aux côtés de ses alliés.
[...] Cette décision entraînera son retrait simultané des deux commandements intégrés dont dépendent ces forces, et auxquels elle participe dans le cadre de l'OTAN, à savoir : le commandement supérieur des forces alliées en Europe et le commandement Centre-Europe, et par là même, le transfert hors du territoire fran-çais des sièges de ces deux commandements. »

— Charles de Gaulle, *Mémoires d'espoir,* tome I, 1970 (Extraits) :
« Il faut », dis-je, « que la défense de la France soit française. Une nation comme la France, s'il lui arrive de faire la guerre, il faut que ce soit sa guerre ; il faut que son effort soit son effort. » Puis je montre que, chez nous, l'État n'a jamais eu et ne peut avoir de justification, *a fortiori* de durée, s'il n'assume pas directement la responsabilité de la Défense nationale, et que le Commandement militaire n'a d'autorité, de dignité, de prestige, devant la nation et devant les armées, que s'il répond lui-même sur les champs de bataille du destin du pays [...]. La consé-quence, c'est qu'il faut nous pourvoir, au cours des prochaines années, d'une force capable d'agir pour notre compte, de ce qu'il est convenu d'appeler « une force de frappe », susceptible de se déployer à tout moment et n'importe où. L'essentiel de cette force sera, évidemment, un armement atomique. »

France, État démocratique, est l'une des composantes majeures de l'Europe occidentale, protégée par les États-Unis, et faisant face à l'Europe orientale communiste, dirigée par Moscou. Pour de Gaulle, qui n'oublie jamais les rapports de force, la France peut et doit manœuvrer « à la marge », avoir un plus (la dissuasion) lui restituant un rôle propre.

Or aucune configuration n'est immobile et stable. Dès les années 1960, l'Europe ne se réduit pas à la coexistence de deux blocs ; le grand dessein gaullien puis, à partir de la fin des années 1960, la politique à l'Est *(Ostpolitik)* de l'Allemagne fédérale contribuent à recréer un espace diplomatique et même stratégique européen évolutif. La logique des blocs subsiste au moins jusqu'à l'effondrement des régimes communistes est-européens (automne 1989), mais déjà, au-delà de la France gaullienne, des acteurs européens (et d'abord l'Allemagne fédérale, premier partenaire de la France) se montrent plus autonomes.

L'« indépendance » de la défense française rencontre, à partir des années 1980, trois interrogations.

◆ **Quels liens avec l'Alliance atlantique ?**

• *De l'affrontement à la normalisation*

La décennie 1960 est, du point de vue des rapports politiques et stratégiques transatlantiques, celle de *la grande querelle franco-américaine*. La France gaullienne veut être elle-même, notamment par la force de frappe. Les États-Unis (de plus pris au piège de la guerre du Vietnam à partir de 1963) sont exaspérés par l'arrogance du coq gaulois, qui fait fi de la solidarité occidentale, et favorise ainsi objectivement l'Union soviétique.

De même, le 23 avril 1973, les États-Unis du président Nixon proposent, par la voix d'Henry Kissinger, une *« nouvelle charte atlantique »*, visant à renforcer la cohésion euro-américaine, c'est-à-dire à réaffirmer, au lendemain de l'échec du Vietnam, l'autorité de Washington sur ses alliés Ouest-européens. La France du président Pompidou conteste ce projet, critiqué comme un abus de la puissance américaine. À nouveau la France se pose en « empêcheuse de tourner en rond ». Finalement la querelle est apaisée avec *la déclaration d'Ottawa* (19 juin 1974), reconnaissant que les forces nucléaires britanniques et françaises jouent « un rôle dissuasif propre, contribuant au renforcement global de la dissuasion de l'Alliance ». La force de frappe n'est plus source de contentieux entre les États-Unis et la France.

En 1979-1983, *la crise des euromissiles* constitue sans doute un autre tournant. Afin de répliquer au déploiement par l'URSS de nouveaux missiles (SS 20) pointés notamment vers l'Europe occidentale, l'Alliance atlantique décide l'installation de nouveaux missiles américains (Pershing II et missiles de croisière). Cette décision déchaîne, dans les États d'Europe occidentale, une vague pacifiste rejetant ces armes américaines. Le 20 janvier 1983, devant le Bundestag, à Bonn, le président de la République française déclare notamment : « [...] Quiconque ferait le pari sur le découplage entre le continent européen et le continent américain mettrait, selon nous, en cause l'équilibre des forces et donc le maintien de la paix [...]. C'est pourquoi la détermination commune des membres de l'Alliance atlantique et leur solidarité doivent être clairement confirmées. » Par ces mots, François Mitterrand marque bien que la sécurité de l'Europe requiert la présence politique et militaire des États-Unis sur le vieux continent.

• *Le rapprochement à petits pas, jusqu'au seuil de l'intégration*
En 1989-1991, l'écroulement de l'Europe communiste, la disparition du rideau de fer, la dissolution de l'Union soviétique favorisent un réel rapprochement entre l'Alliance atlantique et la France. Pour Paris, l'Europe de l'après-guerre froide, avec ses tensions ethniques, ne peut se priver d'aucun facteur de stabilité ; l'engagement européen des États-Unis, son instrument — l'Alliance atlantique — sont essentiels à cette stabilité. De plus, les données de la puissance en Europe sont bouleversées (unification de l'Allemagne qui, désormais, pèse de toute sa masse au centre du continent ; fin de l'URSS ; incertitudes autour de la Russie et de ses voisins) ; dans ces conditions, l'Alliance atlantique demeure un cadre, un point d'appui, intégrant l'Allemagne, associant les pays d'Europe centrale et orientale (en décembre 1991, c'est la mise en place du Conseil de coopération Nord-atlantique — COCONA — réunissant les États-membres de l'Alliance et les anciens membres du pacte de Varsovie, supprimé le 1er juillet 1991).

À partir de 1991, la France se rapproche de l'OTAN. Le processus se fait par petites avancées, le retour dans les mécanismes intégrés demeurant tabou. Ainsi, en mars 1991, la France rejoint le comité des plans de défense. Depuis mai 1993, la France siège à nouveau avec voix délibérative, pour les missions de maintien de la paix (ex-Yougoslavie, par exemple), au Comité militaire, la plus haute instance militaire de l'OTAN, placée sous l'autorité politique du Conseil de l'Atlantique Nord. En février 1994, la France, soucieuse d'engager les États-Unis dans l'affaire bosniaque, soutient le recours aux capacités aériennes de l'OTAN afin de contraindre les Serbes à accepter un cessez-le-feu en Bosnie-Herzégovine. La France tient à sa spécificité, mais peut-elle survivre intacte dans un monde, dans une Europe en pleine mutation ?

◆ La dissuasion, pour quoi faire ?

D'abord contestée, la force nucléaire française est peu à peu plus ou moins acceptée. Dans les années 1960, la France gaullienne est une rebelle. Ainsi, en 1968, elle refuse de rejoindre le Traité de non-prolifération nucléaire (TNP), dénoncé comme une machine américano-soviétique, visant à consolider la suprématie des deux super-grands. À partir des années 70, la dissuasion française est une réalité. La France reste sur ses gardes, l'Union soviétique réclamant que le potentiel atomique français soit traité comme un élément de l'arsenal occidental et donc inclus dans les négociations Est-Ouest sur le désarmement nucléaire. Comment la France pourrait-elle tolérer que le cœur de son indépendance soit négociable, alors que les États-Unis et l'URSS accumulent, chacun, des milliers de têtes nucléaires ? Cependant la France, désormais puissance nucléaire établie et donc soucieuse d'empêcher la prolifération, se rallie au TNP en juin 1991.

À partir de 1989, l'évanouissement de l'antagonisme Est-Ouest, la dissolution de l'Union soviétique, la formation d'un nouveau paysage politico-stratégique européen, enfin la prolifération de conflits très divers (du Golfe arabo-persique à l'ex-Yougoslavie) bouleversent la problématique de la dissuasion française.

Cette dissuasion, telle qu'elle s'est développée dans les années 1960, est conçue en fait en fonction d'une menace précise : une agression brutale, massive de l'Est (c'est-à-dire de l'Union soviétique), ayant pour objectif l'invasion de l'Europe occidentale et donc de la France. La fonction de l'arme atomique française est de bloquer ce risque de déferlement. D'où, d'ailleurs, tout au long des décennies d'antagonisme Est-Ouest, des interrogations laissées sans réponse claire : en cas d'attaque du pacte de Varsovie contre l'Europe occidentale, la France, même avec l'atout nucléaire, pourrait-elle maintenir son territoire hors de la bataille ? Comment, pour la

France, concilier la sanctuarisation de son territoire et la solidarité avec ses alliés, d'abord avec l'Allemagne fédérale qui, pays de la ligne de front, serait la première submergée ?

Depuis 1989, toute cette donne est radicalement transformée pour trois raisons.

● *Vers la dénucléarisation de l'Europe ?*

L'Europe de l'antagonisme Est-Ouest est truffée d'engins nucléaires de toutes sortes ; en particulier, les deux Allemagne, champ de bataille potentiel, accumulent sur leur sol des missiles à courte et très courte portée. Or, du fait d'abord du rapprochement américano-soviétique (1986-1991), puis de l'écroulement de l'espace soviétique (1989-1991), les armes atomiques américaines et soviétiques, déployées en Europe, sont retirées. En ces années 1990, subsistent, en Europe (de l'Atlantique à la Pologne), les arsenaux britannique et français ; les États-Unis, eux, conservent, sur leur territoire ou sur leurs sous-marins, des milliers d'armes à longue portée (missiles stratégiques) ; enfin, il reste les formidables stocks de l'Union soviétique, l'essentiel revenant à la Russie, l'Ukraine renâclant à se défaire des missiles ex-soviétiques qui ont été installés chez elle.

Cette situation est confuse et dangereuse : l'URSS, ayant disparu, n'est plus une menace, mais les armes qu'elle a abandonnées déchaînent convoitises et rivalités pour leur contrôle et leur élimination.

Dans cette perspective, la dissuasion française se retrouve dans une position également confuse. D'un côté, les forces françaises et britanniques sont regardées comme les restes d'une histoire révolue, les signes d'une supériorité plus ou moins légitime (l'Allemagne étant interdite d'armes atomiques ; les autres pays européens ayant, eux aussi, renoncé à acquérir des moyens nucléaires militaires). D'un autre côté, la capacité de dissuasion demeure, pour la France, une ressource ultime « en cas de malheur ». Même si l'emploi des armes atomiques reste extrêmement aléatoire étant donné les risques de représailles, ne vaut-il pas mieux en posséder à tout hasard ?

● *Quels usages pour la dissuasion ?*

Dans la doctrine gaullienne, plus ou moins maintenue depuis les années 1960, l'arme nucléaire est celle du recours suprême pour la défense du territoire national et des intérêts fondamentaux de la France. Mais dans l'hypothèse d'une invasion de la France (comme en 1870, 1914 et 1940), la population française serait-elle prête à risquer son propre anéantissement ? Hors l'invasion de son sol, la France peut-elle envisager d'autres cas de mise en œuvre de sa dissuasion ?

Cette dernière question suscite, à partir des années 1970, un débat (en fait toujours ouvert) autour de *la notion de dissuasion élargie* : le parapluie nucléaire français peut-il protéger d'autres pays que la France, c'est-à-dire l'Allemagne fédérale ? Pour la France, l'atome est « national ». Le 28 février 1986, le président français et le chancelier ouest-allemand conviennent que : « Dans les limites qu'impose l'extrême rapidité de telles décisions, le président de la République se déclare disposé à consulter le chancelier de la RFA sur l'emploi éventuel des armes préstratégiques françaises sur le territoire allemand. »

Depuis les années 80, la relance de l'idée de défense européenne introduit la perspective — des plus vagues, pour le moment — d'une *européanisation des forces nucléaires françaises.*

● **L'avenir des essais nucléaires**
L'édification d'une dissuasion indépendante exige que la France soit en mesure de tester régulièrement ses engins. Si, en 1960, la France dispose encore du Sahara, l'indépendance de l'Algérie (1962) entraîne l'installation du Centre d'expérimentations en Polynésie française, dans le Pacifique. Les États riverains de cet océan n'ont jamais admis que la France, nation européenne, appartenant donc à un autre continent, se serve des « confettis » de son empire pour procéder à des explosions nucléaires. D'où, depuis les années 1970, des campagnes contre ces essais, avec, souvent, des conséquences fâcheuses ou ridicules pour la France (affaire du bateau *Rainbow Warrior*, de l'organisation écologiste *Greenpeace*, détruit par des agents secrets français, le 10 juillet 1985).

Le 8 avril 1992, le gouvernement français, sensible aux pressions multiples en faveur tant du désarmement que de la préservation de l'environnement, décide la suspension des essais. En ces années 1990 ces essais ne seraient plus aussi essentiels (perfectionnement des techniques de simulation).

◆ Vers une défense européenne ?

Face à l'idée de défense européenne — c'est-à-dire de défense commune à plusieurs États européens, ou plutôt Ouest-européens —, la France a toujours eu une attitude ambivalente. D'un côté, selon la vision qu'a la France d'une Europe unie, s'affirmant comme un pôle autonome de puissance face au reste du monde, la défense (comme la politique étrangère et la monnaie) ne saurait qu'être un attribut majeur de cette Europe existant et agissant par elle-même. De l'autre côté, la France redoute cette défense européenne : ce serait le renoncement à sa souveraineté (rejet du projet de CED en 1954) ; et, du fait de la Grande-Bretagne et aussi de l'Allemagne fédérale, cette défense serait euro-américaine. Ainsi, en 1961, de Gaulle soutient le plan Fouchet, visant à créer une union des États européens, susceptible d'impliquer à terme une défense commune ; le plan est enterré en 1962, en raison, notamment, de son inspiration anti-atlantiste.

● *Au cours des années 1980, la maturation d'un consensus sur la défense européenne*

Dans les années 1980, la problématique de la défense européenne évolue profondément. La présence militaire des États-Unis en Europe occidentale n'est plus perçue comme éternelle, mais comme appelée à diminuer inexorablement. La France se rapproche de l'Alliance atlantique et surtout veut consolider le lien franco-allemand, au lendemain de la crise des euromissiles (1979-1983) lors de laquelle le gouvernement de Bonn a résisté à la vague pacifiste.

En juin 1987, c'est le lancement de la brigade franco-allemande (4 200 hommes). Le 22 janvier 1988 (vingt-cinquième anniversaire du traité franco-allemand d'amitié et de coopération dit de l'Élysée, entre de Gaulle et Adenauer), naît le conseil franco-allemand de défense et de sécurité (parallèlement est mise en place une commission franco-allemande de coordination économique et financière). Le 22 mai 1992, le sommet franco-allemand de La Rochelle décide la création d'un corps franco-allemand, à vocation européenne (35 000 à 40 000 hommes).

De plus, l'Alliance atlantique n'est plus source de frictions. Comme l'indique le traité de Maastricht sur l'Union européenne (7 février 1992), la défense européenne, si elle se réalise, respectera « les obligations découlant pour certains États-membres du traité de l'Atlantique Nord » et sera « compatible avec la politique commune de sécurité et de défense arrêtée dans ce cadre » (Article J.4, alinéa 4).

● *La France, grande puissance, et la défense européenne*

La France, depuis l'ère gaullienne, lie indépendance et puissance : seule l'indépendance assure à la France une capacité de manœuvre, lui permettant d'imprimer sa marque sur la scène internationale. La création d'une défense européenne n'aurait-elle pas pour prix l'abandon de l'une des clés de cette indépendance, la dissuasion nucléaire nationale ? « Est-il possible de concevoir une doctrine [nucléaire] européenne ? Cette question-clé deviendra très vite une des questions majeures de la construction d'une défense européenne commune » (François Mitterrand aux « Rencontres nationales pour l'Europe », 11 janvier 1992).

En ces années 1990, cette question n'est peut-être pas la plus urgente. La perspective d'une défense européenne rencontre déjà d'autres obstacles économiques et politiques. Les États Ouest-européens, parmi nombre d'autres, sont assaillis par les difficultés budgétaires et se sont engagés dans des réductions importantes de leurs dépenses militaires. Par ailleurs, l'idée de défense commune se heurte aux différences de statut, de rôle des États Ouest-européens : tandis que la Grande-Bretagne et la France restent attachées à l'exercice de responsabilités internationales (par exemple, participation aux opérations de l'ONU, en particulier dans l'ex-Yougoslavie), l'Allemagne, dont le passé ne peut être oublié, renâcle à envoyer des troupes hors de son territoire.

En 1994, le gouvernement Balladur engage un effort de rénovation de la défense française : élaboration et publication d'un Livre blanc (le précédent remonte à 1972), dégageant les grandes questions qui se posent à la défense française dans le monde de l'après-guerre froide ; établissement d'une loi de programmation (1995-2000), visant à clarifier les axes de modernisation de l'armée française. Mais ces textes ne font qu'amorcer le débat.

III - LA FRANCE, SON PRÉ CARRÉ AFRICAIN ET LE TIERS MONDE

Toute nation qui a vécu une aventure impériale en garde une nostalgie de grandeur, même si cette aventure a été coûteuse humainement et moralement. La dimension impériale imprime toujours sa marque à la politique étrangère de la France.

À l'issue de la Seconde Guerre mondiale, la France, cherchant à effacer le désastre de 1940 et à conserver son empire, se bat en Indochine (1946-1954), puis en Algérie (1954-1962). Entre 1958 et 1962, avec la Communauté franco-africaine — organisant en fait l'indépendance des possessions françaises d'Afrique noire — et le règlement du dossier algérien, de Gaulle clôt l'ère coloniale de la France. Toutefois la France, fidèle à elle-même, veut être exemplaire, c'est-à-dire bâtir avec ses anciennes colonies un modèle de rapports, constituant un laboratoire pour l'ensemble des relations Nord-Sud, et contribuant à faire de la France une médiatrice privilégiée entre l'Occident et le tiers monde. Mais que subsiste-t-il de ce modèle en ces années 1990 ?

A/ Le modèle français

◆ La famille franco-africaine

Peut-être du fait des méthodes de la colonisation française, axée sur l'administration directe, gérant le pays le plus exotique comme un département français, les liens entre la France et ses ex-colonies évoquent-ils ceux d'une famille. D'où, parfois, des incompréhensions, des malentendus presque insurmontables (surtout entre la France et l'Algérie — voir encadré p. 67). D'où une extrême personnalisation des rapports, notamment entre le président de la République française et ses homologues de l'Afrique noire francophone, toujours en quête de reconnaissance, de dignité et, évidemment, d'aides financières. Aussi la politique africaine de la France fait-elle dans une large mesure partie du « domaine réservé » du chef de l'État.

Le 13 novembre 1973, se tient, à Paris, *le premier sommet annuel franco-africain.* Avec ces sommets, le lien France-Afrique se trouve en principe régénéré chaque année au plus haut niveau. La formule, au moins lors des premières rencontres, est un beau succès : des représentants d'États anglophones, lusophones se joignent à la cérémonie initialement restreinte à l'Afrique francophone. Puis, avec le temps, s'installe un rituel un peu ennuyeux. Toutefois, le sommet peut fournir l'occasion d'un sursaut plus ou moins durable : celui de La Baule (19-21 mai 1990), au lendemain de l'écroulement des régimes communistes d'Europe de l'Est (automne 1989), se veut l'aube d'une nouvelle époque, liant l'aide à l'Afrique à sa démocratisation, demandant à ce continent de mieux assumer son développement économique.

◆ **Une dimension eurafricaine**

S'opposant au mondialisme libéral des États-Unis et de la Grande-Bretagne, la France gaullienne met l'accent sur un ordre international se structurant autour de grandes régions, valorisant les complémentarités entre les composantes de ces régions. Ainsi l'Europe et l'Afrique.

La France, dès le traité de Rome créant le Marché Commun (25 mars 1957), se pose comme la grande promotrice de la coopération entre la Communauté européenne et l'Afrique (Conventions de Yaoundé, 1964-1975, puis de Lomé, depuis 1976). La France poursuit deux objectifs :

— *Une répartition du fardeau.* La France est l'un des principaux fournisseurs d'aide au Sud (voir tableau p. 69), cette aide bénéficiant principalement à l'Afrique subsaharienne. La Communauté européenne doit assurer une partie des charges (aides aux productions agricoles, infrastructures, etc.), la France gardant notamment l'aide « politique » (financement de déficits publics, paiements de fonctionnaires, défense, etc.).

— *La mise en place d'un co-développement eurafricain,* grâce à des mécanismes originaux : stabilisation des recettes des exportateurs de produits bruts, leur garantissant un flux régulier de revenus (STABEX) ; aide au maintien des capacités de production des pays miniers (SYSMIN).

◆ **Une protection d'un coût raisonnable**

Dans la relation établie lors de la décolonisation entre la France et l'Afrique sub-saharienne francophone (incluant donc le Zaïre, ex-Congo belge), figure, pour Paris, un devoir de protection en cas d'agression extérieure, mais souvent aussi de désordre intérieur. La France est bien le gendarme, le gardien de la stabilité de l'Afrique occidentale et équatoriale (au

La France et l'Algérie

Les rapports entre la France et l'Algérie illustrent avec acuité les dimensions « affectives » de la puissance française.

Pendant plus de 130 ans, l'Algérie, dont la conquête commence en 1830, et qui accède à l'indépendance en 1962, a été la France. Elle reste la seule colonie de peuplement réalisée par la France. En outre, alors que la Tunisie et le Maroc ont, chacun, une identité géographique et historique, l'espace algérien a été, pendant des siècles, une zone de passages, de pouvoirs précaires. L'Algérie se fait comme nation unifiée dans et par sa lutte contre la France. La guerre d'Algérie (1954-1962) est une « sale guerre » (terrorismes, guérillas, tortures, déplacements de populations).

Depuis l'indépendance, des tentatives sont faites pour établir entre les deux États une coopération exemplaire, qui deviendrait une référence dans les rapports Nord-Sud : accord sur les hydrocarbures et le développement industriel (29 juillet 1965) ; accord Sonatrach algérienne — Gaz de France, garantissant un prix d'achat du gaz algérien (3 février 1982 - avril 1986).

Cependant, entre les deux pays, les frictions sont périodiques. L'Algérie, qui se veut elle aussi un modèle en matière de développement économique, accumule les erreurs du tiers-mondisme (édification d'une industrie lourde inefficace ; négligence de l'agriculture ; appropriation de l'État par le parti de l'indépendance, le FLN ; système éducatif tiraillé entre le français et l'arabe). Quant à la France, elle reste proche et nécessaire, avec ses centaines de milliers d'immigrés algériens.

En octobre 1988, la crise, qui couve en Algérie depuis des années, explose : émeutes ; violent rejet du FLN, épuisé, corrompu ; vague islamiste, avec le Front Islamique du Salut (FIS). En janvier 1992, un coup d'État, soutenu par l'armée et appuyé par la France, vise à stopper la poussée islamiste. D'où l'interrogation : la France a-t-elle contribué à sauver l'Algérie et le Maghreb d'une dictature cléricale de type khomeiniste ? Ou, en se mêlant à nouveau des affaires intérieures d'un État indépendant, la France a-t-elle hypothéqué l'avenir ?

début des années 1990, huit traités de défense, vingt-trois accords d'assistance).

Or cette mission est remplie avec des moyens modestes, d'une ampleur comparable à ceux mis en œuvre, au XIXe siècle et dans la première moitié du XXe, par les colonisateurs européens, contrôlant d'immenses territoires avec quelques milliers de soldats et quelques dizaines d'administrateurs. Au début des années 1990, la France maintient en Afrique subsaharienne (dans cinq États : Côte d'Ivoire, Sénégal, République centrafricaine, Gabon et Djibouti), 6 600 hommes. La plus grande intervention menée par la France dans les années 1980 (en 1983-1984, opération *Manta* au Tchad afin de stopper l'armée libyenne du colonel Khadafi) mobilise 3 000 soldats et des avions *Jaguar*.

B/ La décadence d'un modèle

Du début des années 1960 aux années 1980, soit durant trois décennies, l'Afrique subsaharienne francophone est d'une remarquable stabilité. Il y a des coups d'État, de petites guerres, mais la seule crise majeure et durable se produit dans les années 1980, au Tchad, pays artificiel, déchiré depuis son indépendance (1960) et convoité par la Libye, dont le chef, le colonel Khadafi, rêve d'un empire saharien ; la France parvient à bloquer la Libye.

Mais, avec le temps, la stabilité évolue vers la stagnation, la sclérose.

◆ **Un fossé croissant entre l'Europe et l'Afrique**

La coopération eurafricaine devait enclencher une dynamique de codéveloppement entre les deux régions. Au contraire, le lien s'est usé, détérioré.

Le dispositif de Yaoundé puis de Lomé, dans le sillage des élargissements de la Communauté (Grande-Bretagne, Espagne, Portugal), voit le nombre de ses bénéficiaires multiplié par plus de trois (dans les années 1960, 18 pays associés ; pour Lomé IV (1990-2000), 69 pays d'Afrique, des Caraïbes et du Pacifique — ACP). Ces États sont en général parmi les plus pauvres de la planète. Le système, s'élargissant de plus en plus, montre ses limites.

Les pays d'Afrique s'installent dans l'assistance. La garantie des revenus d'exportation ne stimule aucun développement, alors que la population augmente fortement et que l'endettement extérieur s'alourdit.

En dépit des mécanismes d'aide, l'Europe occidentale s'éloigne de l'Afrique subsaharienne : déséquilibre des échanges commerciaux, ceux-ci devenant marginaux pour les pays européens et restant vitaux pour les pays africains ; faibles flux d'investissements vers l'Afrique ; repli des Européens et surtout des Français (en 1970, 180 000 dans l'Afrique subsaharienne ; en 1990, environ 130 000, en diminution).

◆ La France, entre l'indifférence et le désarroi

L'écroulement de l'Europe communiste montre que l'Afrique des présidents à vie, des solidarités tribales, des trafics en tous genres ne peut plus durer. Au début des années 1990, l'Afrique subsaharienne connaît une effervescence démocratique. Dans la quasi-totalité des États se réunissent des conférences nationales devant jeter les fondements de la démocratie pluraliste. Mais, à quelques exceptions près, rien ne se concrétise : trop de pauvreté, trop d'habitudes de corruption, trop de clientélisme, l'exemple le plus dramatique étant donné par la décomposition de l'immense Zaïre, ruiné par le pouvoir du maréchal Mobutu. L'Afrique noire paraît aussi « mal partie » (René Dumont) que dans les années 1960. Le pré carré français est à la dérive.

Quant à la France, a-t-elle encore une politique africaine ? La France ne veut plus se comporter en « barbouze », protégeant les dirigeants au pouvoir, les chassant parfois. Mais la France a des intérêts parfois considérables (minerais, pétrole, etc.).

La France et l'aide au développement
(Aide publique au développement en pourcentage du Produit National Brut)

	1970-1971	1975-1976	1980-1981	1990-1991
France	0,68	0,61	0,67	0,61
États de la CEE pris ensemble	0,42	0,44	0,45	0,43
Allemagne	0,33	0,38	0,45	0,41
Royaume-Uni	0,42	0,39	0,39	0,30
États-Unis	0,30	0,26	0,23	0,20
Japon	0,22	0,21	0,30	0,32

Source : Comité d'Aide au Développement (CAD) / Organisation de Coopération et de Développement Économique (OCDE), rapport 1992.

Le 12 janvier 1994, c'est l'épreuve de vérité : le franc CFA, monnaie de treize anciennes possessions françaises de l'Afrique au sud du Sahara (zone franc), est dévalué de 50 % (un franc CFA valait 2 centimes français ; il n'en vaut désormais qu'un). Cette décision marque la fin d'une époque, celle d'une France finançant à fonds perdus le budget de ses amis africains. Pour les économies de ces États, anémiées par des décennies de soutien quasi inconditionnel, le choc est terrible.

Enfin, la France garde des confettis d'empire : une dizaine de possessions d'outre-mer ayant trois statuts différents (départements d'outre-mer — DOM —, territoires d'outre-mer — TOM — et collectivités territoriales — CT) et éparpillées sur tous les océans (Polynésie française, Guadeloupe, Martinique). Chacun de ces territoires soulève des difficultés spécifiques, mais tous n'expriment-ils pas, à leur manière, l'universalisme de la France ?

En cette fin de XXe siècle, toute puissance plus ou moins établie — qu'il s'agisse des États-Unis, de la Russie, du Royaume-Uni, de la France — doute d'elle-même. Rien n'est acquis de façon certaine, permanente.

La France, en tant que puissance politique, a utilisé trois atouts : un peu, puis de plus en plus, le siège de membre permanent du Conseil de sécurité de l'ONU ; toujours, mais de moins en moins, la dissuasion nucléaire ; enfin, de plus en plus accessoirement, le lien avec l'Afrique. La France souffre certes de ses erreurs (absence de vision à long terme sur l'avenir de l'atome et sur l'Afrique), mais aussi tout simplement des transformations d'un monde où se cumulent durcissement de la compétition économique et anarchies politiques.

À cet égard, un écart croissant se creuse entre le passé et le présent. Par le passé, la France est une nation impériale, méditerranéenne et africaine, avec des rêves planétaires. Par le présent, et d'abord par son économie (commerce, investissements, coopérations industrielles et scientifiques), la France est essentiellement européenne et occidentale.

— 3 —

La culture française dans le monde

En 1784, Antoine de Rivarol, répondant à un concours organisé par l'académie de Berlin demandant « Qu'est-ce qui fait de la langue française la langue universelle de l'Europe ? », écrit son *Discours sur l'universalité de la langue française*, déclaration d'amour et de confiance dans le langage de Descartes et de Molière. Cette universalité du français en Europe est une certitude. Rivarol s'appuie sur les XVIIᵉ et XVIIIᵉ siècles, au cours desquels, par le classicisme, Louis XIV et Versailles, puis surtout les Lumières, la civilisation française, modèle de clarté, d'équilibre et d'élégance triomphe.

Au XIXᵉ siècle et jusqu'à la Première Guerre mondiale, les salons continuent de converser et les chancelleries de correspondre en français ; celui-ci est la langue de la mondanité, du jeu des sentiments et de la diplomatie. En juin 1940, lorsque l'armée allemande victorieuse entre dans Paris, beaucoup de ses officiers parlent un français parfait et sont imprégnés de littérature, de manières françaises.

Dès le XIXᵉ siècle, le français, qu'ont véhiculé les armées de la Révolution et de l'Empire, se heurte à la montée des langues nationales révélant l'ambiguïté et la précarité de toute universalité. Pour la culture française, le défi est d'abord allemand. De Kant à Nietzsche, de Hegel à Marx ou Freud, l'allemand s'impose comme la langue de la philosophie, des profondeurs énigmatiques, qu'il s'agisse des infrastructures technico-économiques (Marx), de la volonté de puissance (Nietzsche) ou de l'inconscient (Freud). De plus, la science allemande, notamment dans la physique et la chimie, s'épanouit. Enfin, en 1870, l'Allemagne désormais unifiée met la France à bas. En 1918, l'allemand n'est plus que la langue du vaincu, du « sale boche ». Pour le français, un autre défi s'affirme : celui de l'anglais, porté par l'Empire britannique et par la puissance en pleine croissance des États-Unis. L'anglais revendique, lui aussi, le statut de langue diplomatique. Le traité de Versailles (28 juin 1919) est rédigé en français et en anglais.

Le rayonnement d'une langue, d'une culture obéit à des lois complexes, mouvantes. Ce rayonnement est malgré tout indissociable des données matérielles, techniques, économiques, politiques. Le pauvre, le faible, le vaincu, le colonisé sent qu'il lui faut apprendre la langue du riche, du fort, du vainqueur, du colonisateur. Toute culture s'inscrit dans l'histoire et ses luttes.

En cette fin de XXe siècle, la langue et la culture françaises restent l'expression d'une idée de la France, sur laquelle se cristallisent des représentations contradictoires et évolutives (I). En même temps, la langue, la culture françaises s'interrogent sur leur universalité dans un monde partagé entre l'omniprésence d'une *lingua franca* — l'anglais ou l'américain de la science, de la technique, des affaires, de la finance — et l'explosion des langues, des dialectes identitaires (II). Enfin la défense du français, avec la francophonie, devient une préoccupation politique associant quelques dizaines d'États. Est-ce la manifestation d'un réveil pour le sauvetage d'un patrimoine précieux ? Est-ce la réaction désespérée d'une langue menacée et assiégée de tous côtés (III) ?

I - LA CULTURE FRANÇAISE ENTRE REPRÉSENTATIONS ET RÉALITÉS

Toute culture est une création historique permanente, nœud de contradictions se métamorphosant sans cesse. Ainsi la culture française n'a rien d'un bloc cohérent. Au contraire, chaque courant dominant — du classicisme du XVIIe siècle à l'existentialisme puis au structuralisme, après la Seconde Guerre mondiale — suscite des rejets, des exceptions, des contestations. De plus, les perceptions d'une culture sont multiples, contradictoires.

L'exemple d'Alexis de Tocqueville (1805-1859), auteur de *De la démocratie en Amérique* (1835-1840), illustre, parmi beaucoup d'autres, ce jeu infini de miroirs. En France, Tocqueville qui, de son vivant, connaît succès et reconnaissance, souffre (au moins jusqu'à son triomphe, en cette fin de XXe siècle) de son étiquette de « libéral », faisant de lui, aux yeux de beaucoup de Français, un auteur « anglais » ou « américain ». À l'inverse, dans le monde anglo-américain, Tocqueville est l'esprit clairvoyant par excellence, condamné à l'incompréhension de ses compatriotes trop grossiers.

Cette mention du « cas » Tocqueville signifie seulement qu'une culture n'est finalement pas la propriété de ses créateurs, mais un phénomène d'autant plus riche qu'il suscite des réactions, des interprétations diverses. D'où, en particulier, des écarts et même des malentendus entre les représentations qu'ont les Français de leur culture et celles qu'en ont les étrangers.

La culture française et son rayonnement dans le monde peuvent tout de même être appréhendés à l'aide de trois éléments-clés, certes simplificateurs pour les besoins de la démonstration.

A/ La nation littéraire

Le Royaume de France s'accommode longtemps de la diversité linguistique. C'est à partir du XVIe siècle que s'affirme la volonté de faire du français une langue parfaite et exemplaire (*Défense et illustration de la langue française* de Joachim du Bellay, 1549).

En 1635, sous Louis XIII (et Richelieu), c'est la fondation de l'Académie française.

◆ Pourquoi la France est-elle la « nation littéraire » ?

La France n'est pas le seul pays à avoir une grande littérature. Au XIXe siècle, le roman français (Stendhal, Balzac, Flaubert, Maupassant, Zola) s'inscrit dans une floraison qui s'épanouit dans toute l'Europe et jusqu'aux États-Unis (de Dickens à Tolstoï ou à Melville). Pourtant la France est bien « la nation littéraire ».

— *par le travail systématique pour faire du français la langue transparente et universelle.* De ce point de vue, les XVIIe et XVIIIe siècles représentent un âge d'or. Le classicisme puis les Lumières imposent, en Europe, le français comme la langue de la clarté et de l'analyse. L'Académie française, la confection des dictionnaires — du travail permanent de l'Académie aux monuments des XIXe et XXe siècles que sont le Larousse lancé en 1856, le Littré en 1863-1872, le Robert dans les années 1960 — traitent le français comme une construction monumentale, qu'il faut à la fois sans cesse codifier, protéger, adapter et maintenir en contact avec la langue parlée. Depuis les années 1980, l'organisation, par Bernard Pivot, d'un concours annuel international de dictée française traduit, au-delà de la nostalgie de l'école des instituteurs, cet attachement à la discipline du langage — à travers l'orthographe — et le désir d'associer des étrangers à ce devoir de préservation.

— *par la consécration que représente le livre.* La France est, semble-t-il, l'unique pays au monde où l'on considère que la seule véritable immortalité soit conférée par le livre. Richelieu, pourtant tout-puissant, souffrait d'être médiocre auteur et jalousait Corneille. Bonaparte jeune rêva d'abord d'égaler Rousseau. Pour de Gaulle, ses *Mémoires* lui assureraient d'être le premier des Français, à la fois homme d'État et écrivain. Ce ne sont là que quelques exemples car, dans la France de cette fin de XXe siècle, la moindre célébrité (politicien, homme d'affaires) s'imagine grand écrivain.

— *par les perceptions des étrangers.* La France n'est pas seulement persuadée d'être « la nation littéraire » ; elle est reconnue comme telle par l'étranger. Ici, la France se confond avec Paris. Paris fut — et reste dans une certaine mesure — la ville des écrivains, accueillant au XIXe siècle les rebelles exilés, offrant, dans les années 20, aux Américains de la génération perdue (Hemingway, Fitzgerald, etc.) un climat de fête que n'avait pas, pour eux, leur patrie vouée au culte du veau d'or. La littérature brilla de tous ses feux dans Paris occupé (1940-1944). Au lendemain de la Seconde Guerre mondiale, le Paris existentialiste de Saint-Germain-des-Prés, avec son « pape », Jean-Paul Sartre, scandalisa et fascina à la fois.

Cette image de nation littéraire ne va pas, surtout depuis 1945, sans inconvénients. Il ne s'agit plus, pour la France, d'apparaître comme un paradis pour la conversation et la pensée, mais de s'affirmer comme une puissance scientifique et industrielle. Il y a là l'une des raisons (parmi beaucoup d'autres) de la relation compliquée entre l'Allemagne et la France, la première enviant à la seconde son art de vivre, la seconde n'acceptant pas d'être enfermée dans cette position de nation d'écrivains. D'où l'importance symbolique des grands projets (de l'avion *Caravelle* à la fusée *Ariane*) mettant en valeur la France de l'avenir.

◆ La littérature et les idées françaises dans le monde

Ce qui rayonne d'une culture à l'extérieur peut souvent ne pas correspondre à la vision qu'a d'elle-même cette culture.

• *Littérature française, littérature universelle*

Les très grands auteurs français — de Montaigne à Hugo, de Voltaire à Proust — sont universels.

De même les auteurs les plus populaires, chez eux et ailleurs, sont ceux qui, tout en restant souvent profondément enracinés dans leur identité, captent et expriment une thématique universelle. Ce n'est pas un hasard si Alexandre Dumas (1802-1870) reste l'un des auteurs les plus lus dans le monde, les plus adaptés au cinéma (la trilogie qui s'ouvre sur *Les Trois Mousquetaires* raconte des sentiments aussi simples qu'éternels : l'amitié, l'amour, la nostalgie). De même Jules Verne (1828-1905) figure toujours parmi les écrivains les plus célèbres ; *Les Voyages extraordinaires* sont l'épopée romanesque d'un des plus vieux rêves humains, celui de l'exploration, de la connaissance, de l'invention.

Le Belge francophone Georges Simenon (1903-1989) — 500 millions de livres vendus, en 28 langues —, entomologiste des passions humaines, utilisant quelques centaines de mots, appartient à cette catégorie d'auteurs qui touchent spontanément l'homme de la rue.

• *L'intellectuel français*

La culture française, vieille culture, est élitiste. À cet égard, elle a produit un personnage, qui n'existe de manière aussi achevée dans aucune autre culture, et qui, en outre, est reconnu comme typiquement français : « l'intellectuel ».

Au XXe siècle, les exemples les plus frappants, parmi d'autres, sont Romain Rolland, André Gide, André Malraux, Albert Camus, Jean-Paul Sartre.

Sartre (1905-1980) est bien l'intellectuel à la française. Convaincu d'être naturellement universel, il est de toutes les causes (Algérie, Vietnam, etc.), toujours disponible pour militer, évoluant au sein de représentations idéalisées — le Prolétaire, le Révolutionnaire, le Partisan. Avec de Gaulle, Brigitte Bardot et Yves Montand, Sartre est, dans la seconde moitié du xxᵉ siècle, l'un des quelques Français mondialement connus.

Pour les étrangers, Sartre ne peut être que Français, par son génie dialectique, son aptitude à se tromper formidablement et, à peine dégrisé, à se mobiliser très vite pour un autre combat. Sartre est un voyageur infatigable, portant la vérité, et toujours identique à lui-même. En 1964, Sartre reçoit — couronnement légitime — le prix Nobel de littérature ; il le refuse, considérant que toute récompense est corruptrice.

En cette fin de xxᵉ siècle, Sartre ne serait-il pas la dernière grande incarnation de ces penseurs s'exprimant sur tout, se fondant sur une conception de l'homme essentiellement rationnel et libre, alors que les découvertes scientifiques révèlent progressivement à l'homme qu'il est une énigme pour lui-même ?

● *La France, terre de théories*

Pour la France, « la nation théorique » est l'Allemagne, obscure et fascinante par sa fabrication de systèmes philosophiques (de Leibniz à Heidegger). Pourtant la France a ses moments théoriques, et ceux-ci contribuent à son rayonnement.

Ainsi, dans les années 1950-1960, « le nouveau roman » fait de la France le pays où l'on réinvente le roman, abolissant les personnages et l'intrigue pour saisir des flux plus profonds de la conscience et du temps. En fait, sous cette étiquette « nouveau roman » sont rassemblés des auteurs (Samuel Beckett, Alain Robbe-Grillet, Claude Simon, etc.) qui, à leurs propres yeux, n'ont en commun que leur éditeur, les Éditions de Minuit. « Le nouveau roman », observé en France comme une excentricité d'avant-garde, connaît un vaste retentissement international, notamment aux États-Unis et au Japon dont certaines universités se délectent à étudier cette littérature de laboratoire. En 1985, Claude Simon, l'un des plus grands « nouveaux romanciers », reçoit le prix Nobel de littérature ; au-delà de cette consécration, « le nouveau roman » est désormais un objet historique.

De même, dans les années 1960-1970, « le structuralisme » (Claude Lévi-Strauss, Jacques Lacan, Roland Barthes, Michel Foucault) érige la France en terre avancée de l'après-humanisme. L'homme est mort ; seules subsistent les structures. Le structuralisme est une étiquette, et plusieurs de ceux censés s'identifier à elle la rejettent vigoureusement. Le structuralisme, après l'existentialisme, est l'une de ces grandes modes intellectuelles qui, pour l'étranger, font de Paris un endroit tellement séduisant. Barthes (mort en 1980), Lacan (mort en 1981), Foucault (mort en 1984) sont érigés en « stars » de l'intelligence.

En cette fin de XXᵉ siècle, ces feux se sont éteints. Tant d'idéologies, et d'abord le communisme, point majeur de référence des années 1930 aux années 1960, se sont effondrées. Les polémiques interminables autour d'un concept et de son sens n'ont guère leur place dans une France soucieuse de bonne gestion et inquiète du chômage.

B/ La « nation frivole »

La France est aussi la « nation frivole ». Que de gouvernants français ont dénoncé le caprice, l'inconséquence, la mémoire courte des Français. De Rabelais à Maurice Chevalier, la France aime à se présenter comme le pays de la joie de vivre. L'un des films les plus populaires auprès des Français, *La Grande vadrouille* (1966) de Gérard Oury, avec Bourvil et Louis de Funès, n'exalte-t-il pas la débrouillardise française face à la balourdise allemande ?

Quant aux étrangers, cette image de frivolité leur convient. En mars 1918, lorsque l'armée allemande lance son ultime offensive en France, l'empereur Guillaume II s'imagine soupant enfin chez *Maxim's*, rue Royale.

◆ **Pourquoi cette image ?**

Plusieurs explications, loin d'être exhaustives, peuvent se combiner.

— La France, par l'opulence et la diversité de son agriculture, son culte de la cuisine et du vin, se veut un pays de Cocagne. En Europe, entre l'Angleterre pluvieuse, la lourde Allemagne et l'Espagne aride, la France est un pays d'équilibre.

— La culture française privilégie la clarté, la légèreté, l'ironie. Montaigne et son œuvre, les *Essais*, expriment à la perfection le souci de philosopher à la première personne, en honnête homme, en ignorant tout jargon. Cette mobilité de l'esprit, qui refuse de souligner, qui se méfie de l'excès, peut être critiquée comme de la légèreté, de l'amateurisme.

— Le héros à la française, qu'il s'appelle d'Artagnan, Cyrano, Gavroche ou Astérix, est bravache, se battant pour des causes perdues, prêt à risquer sa vie et son honneur pour le panache — du chevalier Bayard au capitaine de Boëldieu dans *La Grande illusion* de Jean Renoir, au président François Mitterrand visitant Sarajevo assiégé (28 juin 1992) ou au général Philippe Morillon en Bosnie-Herzégovine. Il n'est pas étonnant qu'en cette fin de XXᵉ siècle l'acteur Gérard Depardieu soit, aux yeux du monde, « le Français », mélange unique de force paysanne et de charme désarmant.

◆ **L'art de vivre, une force ?**

Cette frivolité, cet art de vivre, la France de la seconde moitié du XXᵉ siècle en fait un atout.

— *D'abord en transformant un artisanat réservé à une élite en industrie de masse.* Les exemples ne manquent pas, de la « nouvelle cuisine » au « Beaujolais nouveau », du prêt-à-porter aux eaux de toilette. Les grands cuisiniers, les producteurs de champagne, la haute couture — travaillant, par tradition, pour les *happy few* — ont compris et assimilé la dynamique du marché, l'exigence de concevoir des produits pour des clientèles plus larges, tout en prenant appui sur des marques « aristocratiques ». Le couturier Pierre Cardin, le cuisinier Paul Bocuse, la maison Hermès, parmi d'autres, incarnent cette métamorphose de l'artisan — ou de l'artiste — en homme d'affaires. Le luxe est-il encore « frivole », alors qu'il a intégré les flux de l'internationalisation et représente, pour l'économie française, une source essentielle d'emplois, de devises et de prestige ?

— *Ensuite par le tourisme.* La France est, en cette fin de siècle, l'un des pays les plus visités du monde. Au tournant des années 1980-1990, grâce, en particulier, à la vigoureuse impulsion que donne la célébration du bicentenaire de la Révolution française (1789-1989), la France — où le tourisme occupe en permanence plus de 900 000 personnes, auxquelles s'ajoutent 300 000 saisonniers et 650 000 emplois induits — prend la première place en Europe. Ici aussi l'art de vivre, conjugué à la civilisation française, apporte à la France l'une de ses industries majeures et lui assure des recettes « invisibles », égales à près de 6 % de ses exportations en 1990.

C/ La nation des droits de l'homme

◆ Une composante culturelle

Les droits de l'homme, même s'ils s'inscrivent d'abord dans le champ politique, constituent bien une composante de la culture française.

Pour les Français, depuis la Révolution de 1789, les droits de l'homme fondent la dimension universelle de leur culture. En diffusant et défendant les idées de liberté, d'égalité, de nation, d'humanité, la France se pose en messager d'une vérité au-delà de la diversité des peuples et des cultures. Des révolutionnaires français à de Gaulle ou François Mitterrand, il y a là une constante : la France doit être l'accoucheuse d'un monde émancipé.

Cette vision de la France, patrie de la liberté, est essentielle dans son rayonnement intellectuel. Elle fait de Paris, avec Londres, l'une des grandes villes d'Europe où se retrouvent les exilés : patriotes polonais, libéraux russes au XIXe siècle ; Russes blancs à la suite de la Révolution d'octobre 1917 ; immigrés italiens antifascistes ; écrivains et cinéastes allemands au lendemain de l'accession au pouvoir d'Hitler à Berlin, en 1933 ; Espagnols fuyant la dictature franquiste ; intellectuels américains à l'époque du MacCarthysme... Cette image de la France conduit nombre d'étrangers, lors des deux guerres mondiales, à s'engager à son service. La France, terre d'asile, gagne ainsi de grands écrivains (par exemple, les Roumains Éliade, Cioran, Ionesco).

◆ Entre la générosité des droits de l'homme et la frilosité de la vieille nation

Mais, comme toute vieille nation prisonnière de préjugés, la France peut être généreuse ou mesquine.

Dans la vision rousseauiste de la Révolution française, la citoyenneté doit être offerte à tout homme bon et juste ; de même, tout individu doit être en mesure de choisir sa terre, le pays où il aura le sentiment de pouvoir s'épanouir et atteindre le bonheur. Au fond, ce rêve est réalisé par les

États-Unis, république conforme aux Lumières, bâtissant le lien social autour de la Constitution américaine.

En France, l'humanisme du discours n'abolit pas la fermeture, le corporatisme des institutions. À la différence des universités américaines, avides d'attirer les meilleures intelligences, promptes à accueillir ceux qui, du fait de leur talent, sont insupportables aux dictatures, l'université française ne s'ouvre pas facilement aux étrangers, laissant frapper à sa porte en vain des exilés en quête d'une nouvelle patrie.

De plus la France est soudée au continent européen. Elle n'offre pas la sécurité d'une île (Grande-Bretagne) ou d'un pays-continent, protégé par deux océans (États-Unis). Dans la tourmente des années 1933-1945, la France apparaît comme un cul-de-sac, trop proche de l'Allemagne hitlérienne pour fournir un havre sûr. Nombre d'intellectuels et d'artistes, chassés par le nazisme, séjournent quelque temps en France et, s'ils le peuvent, embarquent pour l'Amérique. En 1940, le grand écrivain allemand Walter Benjamin, réfugié en France, traqué, se donne la mort.

II - LA FIN DE L'UNIVERSALITÉ ?

L'universalité d'une culture n'est jamais donnée pour l'éternité, mais s'inscrit dans des conditions historiques en mouvement, tel le latin, langue « universelle » par excellence, qui ne régna que dans la partie occidentale de l'empire romain, l'Orient restant fidèle au grec. De plus, au-delà de la Rome impériale, le latin bénéficie d'une autre dynamique : il devient la langue de la chrétienté occidentale. Dans l'Europe du Moyen Age, et jusqu'au XVIIᵉ siècle, le latin reste la langue des clercs, des savants, des philosophes. Puis le latin n'est plus que la langue de l'Église catholique jusqu'au concile Vatican II, qui accueille les langues profanes dans les rites de la messe.

Quant au français, il est « universel », de Louis XIV à la Première Guerre mondiale. Le français est porté par la puissance de la France qui, certes constamment défiée par l'Angleterre, domine tout de même le continent européen par sa démographie, ses armées, sa vigueur créative. Toute langue s'épanouit avec les victoires du peuple qui la parle et souffre de ses défaites. À la fin du XVIIIᵉ siècle (traité de Paris, 1763), alors que la France perd l'essentiel de son premier empire colonial, l'Angleterre consolide et accroît le sien ; en outre, avec les treize colonies insurgées d'Amérique du Nord qui bâtissent les États-Unis, l'Angleterre enfante un pays, qui se révolte contre elle, lui échappe, mais finalement fournit un nouveau et formidable tremplin à l'anglais.

Enfin, la force, le rayonnement d'une culture n'obéissent jamais à des lois simples, ainsi que le montre la France des années 1870-1914. La France a été vaincue par la Prusse ; sa population stagne ; sa puissance économique est passable, entre le colosse déclinant — la Grande-Bretagne — et les puissances en plein essor que sont l'Allemagne et les États-Unis. Cette France défaite, secouée par des crises politiques à répétition, resplendit par ses arts, en particulier par la peinture (impressionnisme, cubisme).

Qu'en est-il de la culture française en cette fin de siècle ? Deux facteurs sont sources d'interrogations, d'inquiétudes : le poids de l'anglo-américain et de l'américanisation ; les incertitudes et les débats autour de l'identité française, de son contenu et de son sens.

A/ Le poids de l'anglo-américain et de l'américanisation

◆ Modèle culturel français, modèle culturel américain

La France et les États-Unis appartiennent au même univers occidental, fondé sur la sécularisation de l'espace public, l'individu, l'initiative privée, le droit au bonheur, l'égalité, la démocratie. Pourtant cette communauté fondamentale suscite, en matière culturelle, un défi difficile pour la France.

D'une part, la culture française est une culture ancienne. Certains de ses atouts — racines terriennes, héritage aristocratique, raffinement — tendent à faire de cette culture un héritage du passé, un objet précieux mais archaïque.

D'autre part, depuis leur naissance à la fin du XVIIIᵉ siècle, les États-Unis s'imposent comme le laboratoire du futur, le pays sans passé où les rêves européens se déploient librement sans être entravés par le poids de l'histoire. D'où la fascination ou/et la répulsion qu'exerce cette Amérique sur la vieille Europe qui, en observant ce fils émancipé, peut déchiffrer son avenir. Qu'il s'agisse de la démocratie, de l'industrie de masse, de la télévision ou de la drogue, les États-Unis sont perçus, analysés, parfois jusqu'à la caricature, comme les représentants de la modernité.

Pour la France, nation européenne multiséculaire, les États-Unis sont le pays sans passé, où tout est donc possible. D'où l'exaltation lyrique de ses espaces, de son innocence, de sa brutalité par certains (de Chateaubriand aux amateurs de western, un des genres cinématographiques américains par excellence). D'où l'observation minutieuse de l'expérience sociale et politique des États-Unis (de Tocqueville à Raymond Aron). D'où enfin la dénonciation de la ploutocratie, de la société de masse américaine (de Charles Maurras à la Nouvelle Droite, considérant les États-Unis capitalistes et l'Union soviétique marxiste-léniniste comme les jumeaux monstrueux d'une modernité destructrice des identités).

Cette ambivalence permanente des Français, ou plutôt des élites françaises, vis-à-vis des États-Unis se manifeste tout au long du XXe siècle. De plus, à l'issue de la Seconde Guerre mondiale, le Royaume-Uni se donne pour nouveau rôle international d'être le fidèle et brillant second des États-Unis ; l'Allemagne, vaincue par les États-Unis, renaît, dans sa partie occidentale, sous l'aile protectrice de Washington. La France, qui figure parmi les vainqueurs de 1945, revendique, elle, un destin propre, certes lié à l'Amérique, mais devant lui assurer un rayonnement particulier, incarné dans la langue française.

Alors la France, comme tous les pays Ouest-européens, s'imprègne des États-Unis, qu'il s'agisse du chewing-gum, du cinéma, du blue jeans, du *Coca Cola* ou de *Mac Donald's*. Chacune de ces influences est ressentie comme un abâtardissement de la culture française (par exemple, la diffusion du *fast food* au détriment de la cuisine familiale française ; ou le « rouleau compresseur » de la chanson anglo-américaine transformant la chanson française en héritage floklorique). D'où, lors du cycle de l'Uruguay — Uruguay Round — au GATT (1986-1993), la défense vigoureuse par la France de « l'exception culturelle » : la culture ne saurait être une marchandise ou un service comme les autres ; elle doit recevoir un traitement spécifique.

Ces contradictions françaises face à cette américanisation-mondialisation sont illustrées par l'affaire *Euro Disney Land*. Dans les années 1980, la société *Disney*, dont l'une des activités majeures est l'exploitation de parcs de loisirs *(Disney World)*, décide de construire un parc d'attractions en Europe occidentale. Les pays candidats sont nombreux : il y a là la promesse d'accueillir un flux important et permanent de visiteurs. Finalement la France emporte le projet. Pour atteindre ce but, toutes les autorités françaises concernées se sont mobilisées ; tout a été fait afin de répondre aux exigences de *Disney*. Aux yeux de la majorité des responsables politiques français — à l'exception des franges extrêmes : Parti communiste, Front national —, *Euro Disney Land* semble être, pour la France, une bonne opération. Mais, pour nombre d'intellectuels, la France trahit sa vocation de terre de l'intelligence en accueillant le *Magic Kingdom*, synthèse américanisée des contes de fées.

La France, pays ouvert, touristique, pouvait-elle laisser échapper un pôle d'attraction aussi efficace, même si, depuis son ouverture, le parc connaît de graves difficultés financières ?

◆ Langue anglo-américaine, langue française

La rivalité entre le monde culturel anglo-américain et la France se centre sur la langue.

Deux éléments contribuent à faire d'une langue un instrument véhiculaire : la puissance de ses locuteurs ; l'adaptation de cette langue aux besoins dominants de l'époque. Ainsi, l'anglo-américain, porté par l'Empire britannique, puis par les États-Unis, s'impose comme l'outil le plus souple, le plus aisément accessible dans deux domaines de référence en cette fin de XXᵉ siècle.

D'abord *les affaires*. Dans un monde où les interdépendances sont d'abord techniques, économiques, financières, l'anglo-américain, sans doute aidé par son héritage (par exemple, la fonction de Londres comme capitale financière mondiale tout au long du XIXᵉ siècle et du début du XXᵉ), permet une communication rapide, codée au sein de cette très mince couche de l'humanité qui, par ses métiers, est internationalisée (cadres de grandes entreprises, banquiers et financiers, créateurs, etc.).

Ensuite, *la science et la technique*. Ici aussi plusieurs facteurs se combinent. En particulier les États-Unis, par leurs universités, leurs laboratoires industriels, l'accueil de savants et d'étudiants étrangers, ont conquis une prééminence durable.

Sur le plan international, le français tend à rester la langue littéraire.

D'où sa présence dans les débats et colloques internationaux de certaines disciplines (par exemple, droit, histoire). De même le français reste l'une des principales langues diplomatiques — ce qui ne va pas sans luttes face à l'anglo-américain dans les organisations internationales (notamment Organisation des Nations unies, Communauté européenne).

**Le cinéma français comme exemple de la problématique
du rayonnement français en cette fin de XXᵉ siècle**

En cette fin de siècle, le cinéma français est, en Europe, le dernier grand cinéma
national à survivre face à la formidable machine à spectacles que sont les industries américaines de l'image.

1. Le modèle français associait trois éléments.

— *Le cinéma du samedi soir* qui, même s'il était de qualité variable, assurait au
septième art un public populaire, large et fidèle. Ce cinéma, incarné par des
acteurs comme Fernandel ou Jean Gabin, s'adressait aux Français.

— *Un cinéma d'auteurs,* littéraire, élitiste, réservé aux « happy few », entretenu
par les cinéphiles. Ce cinéma connaît son apogée dans les années 1960, avec la
Nouvelle Vague (Truffaut, Godard, Chabrol). L'impact international est considérable : la modestie des moyens, l'utilisation de décors naturels, le style des dia-
logues font du film une œuvre personnelle, intime, consacrant le metteur en scène
comme créateur à part entière. Ainsi, aux États-Unis où, traditionnellement, le
cinéma est entre les mains des grands studios, la Nouvelle Vague française est
reçue, par des réalisateurs alors en herbe (Francis Ford Coppola, Martin Scorsese,
Steven Spielberg), comme une aventure libératrice.

Le personnage d'Antoine Doinel, ce frère fictif que s'invente François Truffaut
(1932-1984), devient l'un des archétypes du Français.

— *Enfin, l'aide de l'État,* ingrédient toujours indispensable. À l'issue de la
Seconde Guerre mondiale (dans le sillage du corporatisme de Vichy et les idées de
la Libération), le cinéma français est reconnu comme un art d'intérêt public. Le
cœur du dispositif est le système d'avance sur recettes, amorçant le financement
de premiers films.

2. Ce modèle français est sinon en crise, tout au moins appelé à se transformer
radicalement.

— *Pour ce modèle, le film est une œuvre.* Or, la chute vertigineuse de la fréquen-
tation des salles, l'explosion de la télévision, la consommation quotidienne et
massive d'images font du film un simple produit. Si le cinéma est, depuis la Première Guerre mondiale, une industrie ou plutôt un artisanat industriel, il n'est
plus, dans les années 1990, qu'un élément d'une vaste constellation : les industries de l'image et de la communication. La production d'un film est une opération
lourde, où la création ne peut oublier les contraintes juridiques, financières,
publicitaires.

Que reste-t-il de la noblesse, du mystère du cinéma dans ce déferlement
d'images ? Que subsiste-t-il de l'auteur ?

— Depuis la fin de la Seconde Guerre mondiale, le cinéma français ne cesse d'être confronté à *la concurrence du cinéma américain* (en particulier, en 1946, accords Blum-Byrnes où, en contrepartie de leur aide financière, les États-Unis obtiennent notamment le libre accès de leurs films au marché français).

Depuis les années 1970, la compétition change de dimension. Le cinéma américain, mobilisant des ressources considérables, tant d'imagination que d'argent, concentre toute sa puissance sur le public décisif : les enfants et les adolescents. Face à cette offensive, le cinéma français — comme tous les cinémas européens — est déstabilisé : que faire ? Cultiver une spécificité, attirant des spectateurs sans doute passionnés mais peu nombreux ? S'engager à fond dans l'internationalisation, faire des films à très gros budget et même — abdication suprême — tourner dans la langue internationale, l'anglo-américain ? Le cinéma qui, de la Première Guerre mondiale aux années 1960, exprimait d'abord les caractères nationaux, est emporté dans les dynamiques et les coûts de la globalisation, le même film devant plaire à Paris, New York, ou Bangkok. En partie grâce à l'État, en partie grâce à l'ingéniosité de producteurs, le cinéma français (à la différence, notamment, du grand cinéma italien qui est brisé par le choc) résiste et tente de tout concilier : grandes machines internationales et films intimistes.

B/ Le français et l'identité jacobine

◆ Le modèle républicain

C'est avec la Révolution française qu'est consacré le lien entre l'identité nationale et la langue française. Au nom de l'unité et de l'égalité, les patois, les particularismes sont combattus, la patrie française étant soudée par la communauté de langue. Les institutions chargées d'enraciner la République (école, service militaire universel et obligatoire) réalisent cette tâche d'abord par l'enseignement du français. Les instituteurs, « hussards de la République », pourchassent l'usage des langues locales.

Aujourd'hui le français reste évidemment essentiel pour s'intégrer à la société française. Dans la conception jacobine, sur laquelle repose le modèle français, l'immigré, s'installant durablement en France, doit se fondre dans la population française, l'assimilation de la langue fournissant peut-être la preuve la plus sûre de cette francisation.

◆ Une France multiculturelle ?

En cette fin de XXe siècle, la France apparaît tiraillée entre son attachement à une certaine idée du français, noyau dur de l'identité française, et l'acceptation d'une diversité culturelle.

— *Les langues régionales.* Bannies de l'école depuis 1886, elles retrouvent peu à peu droit de cité : alsacien, basque, breton, catalan, corse... Ce retour des langues locales peut obéir à des raisons spécifiques (par exemple, pour le corse, lien avec la revendication indépendantiste). Il y a également un mouvement général d'éclatement des identités, la pratique d'une langue régionale ne s'opposant pas à celle de la langue nationale, mais s'ajoutant à elle, se combinant avec elle.

— *Immigration et assimilation.* La France jacobine est une entité homogène, machine à absorber les immigrés prêts à s'assimiler. En cette fin de XXe siècle, ce modèle est ébranlé, ce choc impliquant éventuellement, à terme, un autre rapport de la France au monde et peut-être même une autre France.

La population immigrée en France s'est transformée. Certes la dynamique assimilatrice se montre remarquablement efficace : aujourd'hui, en ces années 1990, environ dix millions de Français, soit un sur six, ont un parent ou un grand-parent étranger. De plus, dans les années 1980, sur 3,7 millions d'étrangers en France, 1,6 viennent de la Communauté européenne (notamment Portugais).

La question identitaire se focalise autour de certains immigrés musulmans (la majorité des 1,5 million de Maghrébins souhaitant l'intégration). Au cours de l'automne 1989 éclate l'affaire hautement symbolique des « foulards de Creil ». Cette affaire est déclenchée par l'exclusion, par un collège public, de trois jeunes filles portant un « foulard » ou un « voile » islamique. L'exclusion est justifiée par le devoir de neutralité de l'école publique, qui ne saurait tolérer, chez ses élèves, aucun signe (en particulier religieux) distinctif.

Cet incident suscite émoi et polémiques. Pour certains défenseurs de la République, la religion appartient au domaine privé et doit s'y tenir ; le « foulard » porte atteinte à l'espace public. Le 2 novembre 1992, le Conseil d'État, avec le souci de dédramatiser l'enjeu, annule l'expulsion des jeunes filles, faisant valoir que « le port par les élèves de signes par lesquels ils entendent manifester leur appartenance à une religion n'est pas, par lui-même, incompatible avec le principe de laïcité ».

C/ La France et la mondialisation

Plus largement, les interrogations et débats sur le modèle français s'inscrivent dans les bouleversements planétaires. Aujourd'hui, il n'est guère d'État-nation, d'abord dans l'espace occidental, qui ne soit contraint de se demander quelle est son identité, quel sens revêt cette identité. Ces questions sont d'autant plus aiguës que l'État-nation qui se les pose a été — ou s'est cru — investi d'une personnalité. Qu'il s'agisse des États-Unis, de la Grande-Bretagne, de la France, il n'est pas simple de vivre sans mission à accomplir. Si les États-Unis sont en mesure de dire qu'ils demeurent la première puissance de la planète, le Royaume-Uni et la France oscillent entre un repli impossible sur soi et des tâches de substitution (par exemple participation aux opérations de l'ONU).

Pour tout pays, et donc pour la France, identité interne et identité internationale sont liées, interagissant l'une sur l'autre. Y a-t-il encore un modèle français ? Y a-t-il encore des modèles ?

La célébration du bicentenaire de la Révolution française (1989) correspond, selon l'historien François Furet, à « la fin de l'exception française ». La France, marquée pendant deux siècles par les antagonismes de la Révolution, tirant de cette cassure une exemplarité, devient aujourd'hui une démocratie « comme les autres » : apaisée, vivant l'alternance droite-gauche non comme un drame national, mais comme une pratique allant de soi.

Avec la Révolution, la France s'est voulue l'État-nation exemplaire, réalisant une osmose parfaite entre l'État, appareil juridico-politique, et la nation, communauté historique, renaissant sans cesse par « un plébiscite de tous les jours » (Ernest Renan). En cette fin de XXe siècle, l'État-nation a imposé son modèle sur toute la planète, mais ce succès, porté par l'expansion coloniale de l'Europe, met en lumière la spécificité de chaque peuple, l'artificialité d'un modèle à prétention universaliste.

Enfin, du Moyen Age au XXe siècle, la France est l'un des grands acteurs de l'histoire européenne, de ses aventures, de ses guerres. Des grandes découvertes aux deux guerres mondiales, l'Europe, tout en se déchirant constamment, domine la terre. Depuis 1945, l'Europe, vaincue, partagée pendant près d'un demi-siècle, ayant perdu ses empires, découvre qu'elle n'est plus un continent au-dessus des autres, mais parmi les autres, emporté par une compétition frénétique pour la richesse et la puissance. La France sait qu'elle est d'abord et toujours une nation européenne.

III - LA FRANCOPHONIE

La francophonie est une idée typiquement française :
— en faisant de la langue française un patrimoine à protéger ; ainsi la France s'efforce-t-elle de lui conférer une valeur absolue, intemporelle, au-delà des réalités politiques ;
— ensuite, en suscitant une mobilisation politique (appel aux États), autour d'un enjeu culturel (défense de la langue française) ;
— enfin, en mettant sur pied des structures institutionnelles, exprimant une démarche volontariste.

Les langues les plus pratiquées dans le monde
(1992 ; en millions de personnes)

Chinois (Mandarin, Cantonais, etc.)	1 109
Anglais	451
Hindi (Inde)	377
Espagnol	360
Russe	291
Arabe	207
Bengali	190
Portugais	178
Malais-Indonésien	148
Japonais	126
Français	122
Allemand	118

Source : Quid 1993, Robert Laffont, P. 95.

A/ Historique de la francophonie

Le terme « francophonie » date de 1880. Son auteur est Onésime Reclus (1837-1916), géographe, nationaliste et communard en 1870. Pour Onésime Reclus, le français est la langue la plus apte à traduire « la solidarité humaine à travers le partage culturel ». La diffusion du français est assurée par des circuits modestes, mais peut-être plus essentiels que les édifices institutionnels. Telles sont les *Alliances françaises*, lieux d'information et d'échange sur la culture française, constituant un réseau mondial.

Le démarrage de la francophonie comme ambition politico-culturelle date des années 1960, sous la présidence du général de Gaulle. À cette époque, la décolonisation est, pour l'essentiel, achevée. Pour certains chefs des États récemment indépendants (le Sénégalais Senghor, le Tunisien Bourguiba, le Cambodgien Sihanouk), le français (comme l'anglais au sein du Commonwealth) peut être le ciment d'une communauté souple. Pour de Gaulle, se dressant contre la toute-puissance des États-Unis, la défense et la promotion du français font partie de ce grand dessein visant à faire que « la France soit la France ». En juillet 1967, de Gaulle, en lançant son « Vive le Québec libre », n'exalte-t-il pas le courage de la Belle Province, résistant à la domination culturelle et politique du monde anglo-américain ?

◆ De l'agence de coopération culturelle et technique (ACCT) aux sommets de la francophonie

● *L'Agence francophone*

Tout au long des années 1960, mûrit l'idée d'une institutionnalisation de la francophonie. Celle-ci se heurte à la fois aux pays « progressistes » (par exemple, l'Algérie), condamnant l'impérialisme culturel français, et à la méfiance du général de Gaulle, plutôt allergique aux constructions théoriques. Le 27 mars 1970, *l'agence de coopération culturelle et technique (ACCT)*, ou *Agence francophone*, voit tout de même le jour.

L'Agence francophone est une structure modeste ; près de la moitié de ses ressources sont fournies par la France, le reste venant des cinquante États ou entités participant au dispositif de la francophonie.

L'instrument majeur de l'Agence est l'École internationale de Bordeaux. Depuis 1972, cette école reçoit et forme des stagiaires francophones d'une cinquantaine de pays ; elle s'occupe également d'édition, d'éducation, de développement économique.

L'Agence offre des livres à des bibliothèques, cabinets de lecture, etc. Elle établit des manuels de français (par exemple, en 1991, à destination des Cambodgiens).

● *Les sommets de la francophonie*

Les gouvernants français aiment les sommets. Dans ce domaine, leur créativité est très grande. En 1961, de Gaulle lance les sommets européens au sein de la Communauté ; en 1974, l'institutionnalisation de ces rencontres sous la forme du Conseil européen, résulte d'une initiative du président Valéry Giscard d'Estaing, appuyé tout de même par le chancelier Ouest-allemand Helmut Schmidt. En 1975, c'est également Giscard d'Estaing qui propose la réunion annuelle des principales démocraties industrielles : ce sont les sommets du G7. Quant au président Pompidou, il met sur pied, en 1973, les sommets annuels franco-africains.

Pour les chefs de l'État français, les sommets constituent des rites indispensables, leur importance résidant autant dans leurs résultats concrets que dans la célébration solennelle de tels ou tels liens.

La francophonie doit donc avoir ses sommets. Le président François Mitterrand, grand amoureux de la langue française, s'impose comme leur créateur. Du 17 au 19 février 1986 se tient à Paris et à Versailles *le premier sommet de la francophonie*.

Quarante-deux délégations sont présentes : il s'agit des États francophones d'Europe ou d'Afrique (l'Algérie, soucieuse d'affirmer son indépendance et son « arabité », étant absente) ; sont présentes également des entités non indépendantes (communauté française de Belgique, Québec, Nouveau-Brunswick, Louisiane). Le second sommet s'est tenu à Québec, en 1987 ; le troisième à Dakar, en 1989 ; le quatrième à Paris, les 19-21 novembre 1991 ; le cinquième à l'île Maurice, du 16 au 18 octobre 1993 (quarante-sept délégations).

◆ **La francophonie institutionnelle, un enjeu politique flou**

L'impact de cette politique du français est bien confus. La meilleure voie pour défendre une langue est-elle le volontarisme institutionnel ? L'usage d'une langue se décrète-t-il, et surtout peut-il se perpétuer par décision étatique ? Au contraire cet usage ne résulte-t-il pas certes de phénomènes de puissance, mais aussi de réactions spontanées ?

En ce qui concerne les sommets de la francophonie,

— ils soulignent l'ampleur, la diversité de la famille francophone, liées à des traces historiques multiples (par exemple, héritages d'une colonisation plus ou moins ancienne — Québec, Maghreb, Afrique noire — ; persistance d'attachements sentimentaux, conduisant la Bulgarie et la Roumaine à demander à devenir membres de la famille).

— ils confirment l'imbrication des données culturelles et politiques. Ainsi le Canada, dominé par la fracture entre anglophones et francophones (revendication par le Québec de son identité spécifique), se pose en support actif de la francophonie. Comme l'illustrent les controverses autour de son enseignement en Algérie et désormais son rejet avec le déchaînement de l'islamisme dans ce pays, la langue française est un enjeu politique, parce qu'il est perçu comme à la fois menacé (d'abord par l'anglo-américain), et menaçant pour certaines identités nationales fragiles.

— enfin, ils montrent l'extrême difficulté d'ériger une langue et sa diffusion en objets de discussions intergouvernementales. Très vite les sommets de la francophonie se laissent attirer vers les urgences de l'actualité. En 1991, le sommet de Chaillot traite des droits de l'homme, de la question haïtienne (restauration au pouvoir du président légitime, le Père Aristide, chassé par un coup d'État militaire).

B/ La francophonie, vrai ou faux combat ?

La défense et la promotion d'une langue peuvent-elles être un axe de politique étrangère ? Une telle option ne risque-t-elle pas de lier cette langue à des rivalités diplomatiques, qui peuvent tout aussi bien favoriser que bloquer son rayonnement ?

Dans cette perspective, le gouvernement français s'efforce d'encourager, de multiplier les initiatives privées ou parapubliques (par exemple, *Université des réseaux d'expression française — UREF —*, créée en 1987, associant les universités partiellement ou entièrement de langue française, et offrant des bourses et des missions).

Un domaine met particulièrement en lumière l'ambiguïté d'une démarche fondée sur l'État : *la télévision.*

La télévision est l'un des médias symbolisant l'omniprésence américaine, les États-Unis ayant développé, à la suite du cinéma, une industrie des images qui, pour le moment, reste unique au monde (fabrication à la chaîne de séries, en général amorties financièrement aux États-Unis mêmes et demandées largement par l'extérieur). De plus l'image (même si les paroles doivent être traduites) est spontanément universelle.

Face à ce défi de la télévision, la France a les handicaps d'un pays moyen (marché relativement étroit) et artisanal (absence d'une véritable et totale industrie des images). D'où un débat permanent : la culture française s'exporte-t-elle ? Si les États-Unis ont réussi des séries diffusées partout (feuilletons comme « Dallas » ou « Dynasty »), pourquoi la France n'en ferait-elle pas autant ? Or, en cette fin de XXᵉ siècle, la création — qu'elle soit scientifique, télévisuelle — implique une organisation méthodique, visant à fabriquer un produit pour une demande bien définie. Le « génie français » accepte mal cette chute de la culture dans le commerce !

Dans une telle situation, l'attitude française privilégie deux orientations :

— *La mobilisation de l'État*

En ce qui concerne la télévision c'est *TV5*, chaîne internationale francophone, née en 1984, diffusée par câble (ou pouvant être captée par antenne parabolique), et financée par la France, le Canada et le Québec, la Wallonie et Bruxelles, la Suisse. Au début des années 1990, cette chaîne touche trente à quarante millions de foyers.

Aujourd'hui, pour une chaîne de ce type, les difficultés sont de deux ordres. Il y a certes le poids de l'audiovisuel américain. Mais il y a peut-être surtout l'explosion du nombre de chaînes. En Amérique d'abord, puis en Europe et ailleurs, le téléspectateur a ou aura accès à plusieurs centaines de chaînes ; il peut ou pourra être branché en permanence sur les télévisions du monde entier.

L'approche française reste imprégnée d'une télévision rare, limitée à quelques chaînes, s'inscrivant dans un cadre national. L'avenir est à l'anarchie et à la cacophonie audiovisuelles : surabondance d'offres d'images ; spécialisation et fragmentation des chaînes (chaînes régionales, locales ; chaînes thématiques) ; écrans à fonctions multiples (télévision, mais aussi télécommunications). Dans un tel déferlement, *TV5* peut être une chaîne de référence, touchant des publics restreints (personnes apprenant le français, Français ou francophones en voyage).

— *La coopération européenne*

Le poids de l'anglo-américain conduit la France à se faire l'apôtre du multilinguisme : puisque le français ne peut régner, toutes les langues doivent être à égalité. En particulier, l'Europe doit affirmer son identité contre l'américanisation culturelle.

D'où, notamment dans le domaine de la télévision, le principe de la coopération européenne, qu'il s'agisse de satellites (satellite franco-allemand *TV SAT*), de normes communes (normes MAC en vue de la télévision de haute définition), de chaînes (chaîne franco-allemande *ARTE* depuis 1992), ou même de fabrication d'émissions.

Mais l'Europe, si elle peut constituer un cadre de règles économiques, de concertation politique (Union européenne), n'a pas d'unité culturelle claire. Certes la Grande-Bretagne, la France, l'Allemagne et d'autres nations européennes ont nombre de références communes (chrétienté, Renaissance, Lumières, romantisme, etc.), mais chacun de ces pays s'approprie à sa manière ces grands courants. Jusqu'à présent les coproductions, de films ou de séries, associant plusieurs pays européens, n'ont pas fait émerger une culture européenne, assumant et transcendant les cultures nationales.

Auteurs francophones vivants les plus traduits en Europe
(1992)

Littérature		Sciences humaines	
Marguerite Duras	361	Jacques Derrida	206
Eugène Ionesco	209	Georges Duby	191
Françoise Sagan	181	Gilles Deleuze	164
Michel Tournier	167	Claude Lévi-Strauss	153
Julien Green	163	Pierre Bourdieu	135
Elie Wiesel	151	Jean Baudrillard	127
Anne et Serge Golon	145	Paul Ricœur	116
Henri Troyat	131	Emmanuel Lévinas	95
Dominique Lapierre	113	Alfred Grosser	83
Alain Robbe-Grillet	101	Edgar Morin	75

Les chiffres indiquent le nombre de titres traduits disponibles en 1992 en somme pondérée.
Source : Libération, 8 octobre 1992, p. 20.

— 4 —

L'économie française dans le monde

L'économie française, son insertion dans les échanges internationaux résument fort bien les tensions qui marquent la France dans ses rapports avec le monde.

● *La France reste perçue et tend à se percevoir toujours comme un pays fermé, agricole, peu apte au commerce.* L'empreinte du protectionnisme, identifié à Colbert et au colbertisme, mais dont l'apogée se situe en fait sous la IIIᵉ République (tarif Méline, 1892), subsiste à travers des réflexes très forts (par exemple, défense de l'agriculture comme garantie de l'autosuffisance alimentaire).

Les Français, dans leurs moments de doute, opposent leurs talents d'invention à leur maladresse, leur manque d'agressivité pour vendre et exporter, face aux traditions d'internationalisation des Anglais, à la discipline méthodique des Allemands ou à l'astuce des Italiens. Au sein de l'Union européenne ou de l'espace atlantique, la France est rangée parmi les États plutôt protectionnistes, en raison de sa méfiance vis-à-vis du libre-échangisme sans limites, de son insistance sur la réciprocité dans l'ouverture des marchés.

● *En ces années 1990, la France figure parmi les grandes nations commerçantes,* occupant le quatrième rang derrière l'Allemagne, les États-Unis et le Japon (en 1993, 3 600 dollars d'exportation de marchandises par tête d'habitant pour la France ; Allemagne : 4 500 ; Royaume-Uni : 3 200 ; Japon : 2 900 ; États-Unis : 1 800). Alors qu'au début des années 90 la population française représente environ 1 % de la population mondiale, la France réalise, en 1993, 5,7 % des exportations mondiales (4,9 % en 1984 ; 5,8 % en 1979 ; 6,3 % en 1973). La France fait partie des sept plus riches démocraties industrielles (États-Unis, Canada, Japon, Allemagne, Grande-Bretagne, Italie et France), dont les chefs d'État ou de gouvernement se réunissent, depuis 1975, en un sommet annuel, faisant le point notamment sur l'état et les perspectives de l'économie mondiale (G7). En cette première moitié des années 1990, la France exporte plus de 22 % de son produit intérieur brut (PIB), ses importations atteignant une part comparable de son PIB.

La France n'a donc plus grand-chose d'un pays autarcique, replié sur l'hexagone ; au contraire, elle est parmi les nations les plus intégrées dans les circuits économiques et financiers mondiaux.

● *En cette fin de XXᵉ siècle, l'économie française, du fait, en particulier, de son internationalisation largement réussie, rencontre une série de défis majeurs.* Le développement vigoureux des Trente Glorieuses (1945-1975) est désormais loin ; la croissance est faible ou même aléatoire. Alors que le plein emploi s'imposait comme un droit allant de soi jusqu'aux chocs de la décennie 1970, le chômage ne cesse de croître depuis environ un quart de siècle, s'installant, dans la société française, comme un abcès permanent, de plus en plus difficile à résorber ou même à contenir. La France, pays Ouest-européen et, plus largement, occidental, subit tous les ébranlements de l'espace atlantique. Zone de prospérité et de stabilité, cet espace, comprenant l'Amérique du Nord et l'Europe occidentale, se trouve pris dans des turbulences de plus en plus fortes : abandon, dans les années 1970, des taux de change fixes pour le flottement des monnaies ; émergence d'un nouvel âge technique, fondé sur l'électronique, l'informatique, les télécommunications ; arrivée de concurrents, d'abord asiatiques, déstabilisant les grandes industries établies (de la sidérurgie aux textiles ou à l'automobile) ; enfin, en 1989-1991, écroulement du bloc communiste et de l'Union soviétique. La France, comme les autres pays européens et occidentaux, est bousculée par ces remous. Du point de vue économique et social, ces chocs entraînent un durcissement, probablement irréversible, de la compétition internationale, au moment même où la France fait face à des échéances difficiles (sous-emploi, vieillissement de la population, bouleversements du modèle industriel français).

L'insertion de l'économie française dans le monde peut être mesurée d'abord par les flux d'importation et d'exportation (I), puis par les mouvements d'investissements — français à l'étranger, étrangers en France — (II). Enfin, en cette fin de XXe siècle, le modèle économique français, appelé en général « colbertisme », apparaît radicalement remis en cause par l'explosion de l'internationalisation (III).

I - LA FRANCE, NATION COMMERÇANTE

A/ Problématique de la France

Au lendemain de la Seconde Guerre mondiale, la France, non sans débats, opte pour l'ouverture des frontières. La dernière grande tentative de libéralisation du commerce extérieur de la France remonte alors au Second Empire (à l'instigation du saint-simonien Michel Chevalier, traité franco-anglais en 1860). La IIIe république, avec le tarif Méline, s'installe dans le protectionnisme.

◆ L'ouverture des frontières ou le choix de la nécessité

À la fin des années 1940, la France n'a en fait pas d'autre alternative que le démantèlement progressif de ses barrières. Pour le principal vainqueur de 1945, les États-Unis, l'établissement d'une paix durable exige notamment un système économique mondial, organisé et fondé sur la liberté des échanges. Dans le sillage de l'aide américaine à la reconstruction de l'Europe occidentale (plan Marshall, 1948-1952), les pays Ouest-européens procèdent d'abord, au sein de l'Organisation Européenne de Coopération Économique (OECE), à l'élimination des obstacles quantitatifs (contingents) aux échanges. Parallèlement, à partir de 1947, l'Accord général sur les tarifs douaniers et le commerce (GATT) — en principe provisoire — est à l'origine d'une succession de négociations visant à réduire les droits de douane. La France ne peut se tenir à l'écart de cette dynamique. En particulier, Jean Monnet (1888-1979), « l'inspirateur » (selon la formule aigre-douce du général de Gaulle), est, de 1947 à 1952, le premier Commissaire au plan de modernisation et d'équipement. Pour Monnet, comme pour la plupart des hauts responsables administratifs français de cette période, la France doit sortir des archaïsmes, de l'étroitesse terrienne qui l'ont conduite au désastre de 1940. L'ouverture des frontières fera souffler un vent vivifiant dans l'hexagone et stimulera l'industrie française, en l'obligeant à se défendre contre la concurrence étrangère. Mais cette volonté de mettre fin aux corporatismes, au protectionnisme, ne va pas sans inquiétude : l'économie française, mise à l'abri de la compétition internationale depuis des décennies, résistera-t-elle au choc de l'ouverture ? La majorité des Français restent convaincus que leur industrie ne fait pas le poids, notamment face à l'Allemagne qui, anéantie en 1945, renaît de ses cendres avec une vigueur redoutable. Dans les années 50, le dilemme français est donc : soit tenter de maintenir les protections en place et s'enfermer dans une logique de repli et de déclin ; soit s'ouvrir et peut-être subir, sur le terrain économique, une débâcle analogue à la défaite de 1940.

◆ La quête d'un filet de sécurité

Afin de surmonter ce dilemme, la France trouve une réponse : *le Marché commun* européen. L'édification d'une union économique privilégiée entre les États Ouest-européens intégrera l'économie française dans un espace élargi de compétition, tout en la préservant d'une concurrence mondiale sans règles. Dans cette vision française, le Marché commun repose sur deux éléments indissociables : la suppression des barrières aux échanges à l'intérieur de ce marché ; l'établissement, à sa périphérie, d'une protection commune (notamment, tarif douanier commun, TDC), concrétisant la spécificité de l'Europe unie face aux pays tiers.

Dans la seconde moitié des années 1950, la France à la fois promeut cette idée de Marché commun et la redoute. Le traité de Rome, établissant ce marché alors à Six (France, Allemagne fédérale, Italie, Benelux), est signé le 25 mars 1957. Le débat de ratification du traité met en lumière les contradictions — toujours actuelles — de la France. Ainsi, à l'Assemblée nationale, Pierre Mendès France, classé comme un réformateur, un moderniste, vote contre la ratification : ce Marché commun lui apparaît comme n'offrant pas suffisamment de garanties à l'économie française. Le patronat français se montre inquiet et divisé. Une fois le traité de Rome ratifié, la France, en pleine crise politique (Algérie) et financière, hésite encore et envisage le report de l'échéance du 1er janvier 1959 (démarrage de l'élimination des barrières internes et de la formation de l'union douanière). C'est de Gaulle, revenu au pouvoir à la suite des événements de mai 1958, qui tranche le nœud gordien. Certes de Gaulle n'aime pas cette Europe supranationale, qu'il n'a cessé de combattre tout au long de ses années d'exil (1946-1958) à Colombey-les-Deux-Églises ; cependant la France a donné sa parole, l'économie française doit et peut être ambitieuse. C'est dire oui définitivement à la Communauté européenne.

Cette problématique souligne bien que la France est devenue l'une des grandes nations commerçantes de la seconde moitié du XXe siècle, presque malgré elle. D'où, depuis ces années 1950, à la fois la conscience que la France ne saurait vivre en dehors des échanges internationaux et la permanence d'une tentation protectionniste. Ainsi demeure la vieille tension entre la France de la mer, de l'aventure, du contact, et la France de la terre, de l'autosuffisance, de la méfiance à l'encontre des cosmopolitismes. Cette tension est d'autant plus profonde qu'elle ne divise pas les Français en deux blocs bien définis et stables ; au contraire cette tension passe à l'intérieur des diverses couches socio-professionnelles, des partis politiques. Pour la France, la difficulté du défi de l'ouverture tient en une constatation : entre 1945 et 1994, la balance commerciale n'est excédentaire ou équilibrée que dix-huit années (1959-1963, 1965-1966, 1970-1973, 1975, 1978, 1986, 1992-1994).

B/ Orientation géographique des échanges commerciaux

◆ La France réalise les quatre cinquièmes de ses échanges commerciaux avec les pays de l'OCDE (Organisation de coopération et de développement économique)

C'est-à-dire au sein de l'espace occidental développé (Europe occidentale - Amérique du Nord - Japon). La France se comporte comme ses partenaires occidentaux : elle réalise la grande majorité de son commerce avec ceux entrant dans la même catégorie économique qu'elle (pays riches, industrialisés et appartenant au système économique multilatéral). Les grands partenaires commerciaux de la France sont donc en même temps ses premiers concurrents.

Origines et destinations du commerce extérieur de biens

en % du total	Exportations			Importations		
	1973	1984	1992	1973	1984	1992
OCDE	76,8	71,7	79,5	76,2	72,8	80,8
dont — Communauté européenne	60,2	52,9	62,7	57,3	54,3	59,6
— Allemagne fédérale	19,4	14,7	17,6	22,7	16,3	18,7
Hors OCDE	23,2	28,3	20,5	23,8	27,2	19,2
dont — OPEP	5,1	9,8	4,2	10,2	11,5	3,9
— Pays en voie de développement hors OPEP	14,0	13,0	13,5	10,5	11,3	11,5
— États socialistes puis ex-socialistes	4,1	3,6	2,8	3,1	4,1	3,8
	100	100	100	100	100	100

◆ **L'espace-clé dans ces échanges est la Communauté européenne (trois cinquièmes du commerce extérieur français)**

La France obéit à la même dynamique que les autres États membres de la Communauté, tous faisant au moins la moitié de leurs échanges commerciaux avec leurs partenaires communautaires. Plusieurs facteurs se cumulent : outre la proximité géographique, l'ancienneté des courants entre les pays, l'interdépendance des économies, la Communauté s'est édifiée comme une zone privilégiée d'échanges, impliquant, au moins dans certains domaines (notamment agriculture), une préférence au profit des producteurs communautaires.

◆ **Pour la France, le partenaire économique décisif est l'Allemagne fédérale (près d'un cinquième du commerce extérieur français)**

D'où, d'abord, l'importance du rapport exportations-importations avec l'Allemagne. Face à ce pays, et surtout tout au long de la décennie 1980, la France est structurellement déficitaire : dans la quasi-totalité des grands secteurs industriels (la sidérurgie et les produits en cuir faisant exception), la France achète à l'Allemagne plus qu'elle ne lui vend. Dans ces conditions, le complexe français d'infériorité a quelque mal à disparaître ! Toutefois, avec la réunification (1990) et ses charges, les excédents allemands fondent et, au tout début des années 1990, les exportations françaises se trouvent stimulées par cet élargissement spectaculaire du marché allemand. En outre, du fait en particulier de l'écart de taille (l'Allemagne, avec ses 80,4 millions d'habitants en 1992, pesant plus lourd que la France qui compte 57,3 millions d'habitants), si l'Allemagne s'enrhume (c'est-à-dire subit un ralentissement ou même une contraction de son activité économique), la France attrape la grippe (c'est-à-dire connaît la stagnation), comme l'illustre, en 1992-1993, le débat sur les taux d'intérêt allemands et leur effet de blocage sur l'économie française.

◆ **Environ un cinquième du commerce extérieur français se dirige vers les pays hors OCDE (pays en développement, pays ex-socialistes), soit les quatre cinquièmes des habitants de la planète**

Depuis plusieurs décennies, les pays de l'Europe occidentale commercent de plus en plus entre eux. C'est là la conséquence de leur intégration de plus en plus étroite dans le cadre de la Communauté européenne ; c'est aussi le signe d'un repli, d'une contraction de l'Europe occidentale sur elle-même — phénomène préoccupant en cette fin de siècle, au moment où émergent, d'abord en Asie-Pacifique, des pôles vigoureux de croissance et de concurrence. Pour tous les pays Ouest-européens, donc pour la France, l'Europe occidentale constitue désormais un grand marché intérieur, proche et sûr. Alors pourquoi s'engager dans des opérations risquées en Asie ou ailleurs ? Mais la mondialisation des échanges n'exige-t-elle pas d'être présent sur plusieurs continents ?

Avec le monde en développement, le commerce peut être plus facile (les pays occidentaux ayant l'atout de leur formidable avance scientifico-technique), mais aussi incertain (solvabilité aléatoire de beaucoup de pays du Sud). En ce qui concerne la France, son commerce avec son pré carré ex-colonial (Maghreb, Afrique francophone au sud du Sahara) s'use, s'étiole. L'Afrique noire s'enfonce dans le sous-développement et ne vend que des produits bruts. Les trois États du Maghreb gardent la France comme partenaire économique essentiel ; mais, si le Maroc paraît décoller, si la Tunisie semble s'en sortir, l'Algérie est confrontée au chaos politique.

Par ailleurs, dans les années 1973-1985, à la suite des chocs pétroliers, la France — comme les autres pays occidentaux — se précipite sur le nouveau champ d'expansion que deviennent les pays exportateurs de pétrole (OPEP), massivement enrichis par la multiplication des prix des hydrocarbures. Dans le golfe Arabo-persique (Arabie Saoudite, émirats, Irak), région tour à tour dominée par la Grande-Bretagne puis par les États-Unis, la France réussit une belle percée. C'est le temps des grands contrats (armements, travaux publics). Depuis les années 1980, le mirage se dissipe : guerre Irak-Iran (1980-1988), puis affaire du Koweït (1990-1991) ; chute des cours du pétrole ; saturation des marchés... En particulier, à partir du milieu des années 1970, la France pense tenir une très bonne carte, l'Irak de Saddam Hussein ; mais celui-ci, en attaquant l'Iran, en tentant de s'emparer du Koweit, accumule erreurs et dettes et se retrouve, depuis 1991, au ban de la communauté internationale.

De la fin des années 1940 à l'effondrement des démocraties populaires en Europe orientale (1989), *les États socialistes,* sous la direction de l'Union soviétique, forment, notamment du point de vue économique, un monde à part, en marge des circuits internationaux. Durant ces décennies, le commerce avec ces pays, qui se fait d'État à État, se trouve donc lié à des considérations politiques. Dans les années 1960, la politique de détente, initiée par le général de Gaulle, promet un développement important des échanges entre la France et les pays de l'Est ; en particulier, par un geste symbolique, ces pays adoptent le procédé français de télévision en couleurs (SECAM). Pourtant le commerce entre la France et ces États, soumis aux fluctuations des rapports Est-Ouest, ne décolle pas : les procédures sont lourdes ; les pays de l'Est sont pauvres et se montrent intéressés surtout par des biens d'équipement pour lesquels la France ne vaut pas l'Allemagne fédérale ; et cette dernière, avec l'*Ostpolitik* (politique à l'Est) à partir de la fin des années 1960, s'impose très vite comme le premier partenaire économique occidental du bloc soviétique. Depuis 1989-1991, l'écroulement des régimes socialistes, l'éclatement de l'Union soviétique bouleversent la donne politique : tous ces pays ex-communistes, en quête de prospérité, se bousculent pour s'intégrer dans les circuits économiques internationaux. Pour la France et ses entreprises, ces marchés de l'Est sont attirants mais lointains, incertains (à l'exception du cas tout à fait particulier de l'ex-Allemagne de l'Est, absorbée, depuis 1990, dans l'Allemagne unifiée). Dans cette région, l'Allemagne, par sa proximité géographique, ses liens historiques, sa force industrielle, demeure le partenaire naturel.

C/ Distribution sectorielle des échanges

**Répartition par grands produits
du commerce extérieur de marchandises**

en % du total	Exportations			Importations		
	1973	1984	1992	1973	1984	1992
Produits agro-alimentaires	19,7	16,8	16,1	17,6	12,9	11,6
Énergie	2,4	4,0	2,2	12,9	24,5	8,6
Industrie	77,9	79,2	81,7	69,4	62,6	79,8
	100	100	100	100	100	100

◆ **L'agriculture**

L'agriculture est présentée, dans les années 1970, comme « le pétrole vert » de la France, source inépuisable d'excédents extérieurs, compensant la pauvreté du sous-sol français en ressources minières et d'abord en hydrocarbures.

Depuis la fin de la Seconde Guerre mondiale, la modernisation et la croissance de l'agriculture française donnent le vertige : entre 1960 et 1991, la production de céréales est multipliée par trois, celle de lait par deux et celle d'oléagineux par ... trente, alors que, durant la même période, le poids des agriculteurs dans la population active est divisé par quatre (en 1962, 20 % ; en 1990, 5 %). En 1960, la France importe deux fois plus de produits agro-alimentaires qu'elle n'en exporte. Dans les années 1970, c'est l'équilibre. Depuis les années 1980, l'agro-alimentaire est de loin le premier poste excédentaire de la balance commerciale française (en 1992, + 53,5 milliards de francs ; l'automobile occupant la deuxième place avec + 32,5 milliards de francs).

En ces années 1990, la France est le deuxième exportateur mondial de produits agricoles et agro-alimentaires, derrière les États-Unis. Elle est le premier exportateur mondial de produits transformés. Au sein de la Communauté, la France est le colosse agricole (en 1990, 22 % de la production agricole ; Allemagne, 19 % ; Italie : 17 % ; Espagne : 12 % ; Grande-Bretagne : 9 % ; Pays-Bas : 7 %).

Ces remarquables performances ne vont pas, désormais, sans difficultés. Depuis le début des années 1960, cette nouvelle naissance de
l'agriculture française prend appui sur la Politique agricole commune
(PAC), que la France a voulue et imposée à ses partenaires de la Communauté, notamment à l'Allemagne fédérale. Les principes et mécanismes de
la PAC (libre circulation des produits agricoles dans la Communauté ; système unifié de prix ; préférence communautaire isolant le marché européen du marché mondial ; prise en charge des excédents par le budget
communautaire) garantissent à l'agriculture française un marché protégé
(ce dont bénéficient d'ailleurs toutes les agricultures des autres États
membres). En ces années 1990, la Communauté absorbe près des trois
quarts des exportations agricoles françaises et assure l'essentiel de l'ex-
cédent commercial sur ce poste.

Or, depuis les années 1980, la PAC est contestée tant au sein de la
Communauté, en raison de la lourdeur de son coût, que par les pays tiers
exportateurs de produits agricoles (d'abord États-Unis), dénonçant la
« forteresse Europe ».

L'agriculture française se retrouve à un tournant douloureux : la formidable modernisation accomplie au cours des récentes décennies, au lieu
d'apporter aux paysans, de moins en moins nombreux, un avenir stable,
condamne l'agriculture à se transformer en une industrie parmi d'autres.

◆ L'énergie

Pour toute économie industrielle, en cette seconde moitié du XXe siècle, le
pétrole reste « le nerf de la guerre », la substance sans laquelle tout (automobiles, chauffage, usines, etc.) risque de s'immobiliser. Or la France n'a
guère de pétrole dans son sous-sol. D'où la concordance, dans la balance
commerciale française, entre la part (en valeur) des importations d'énergie
et les variations du prix du pétrole. En 1973, à la veille du premier choc
pétrolier, les achats d'énergie (essentiellement pétrole et gaz naturel)
représentent 12,9 % des importations totales. En 1984, dans le sillage des
chocs pétroliers, cette part explose (24,5 %) pour s'effondrer à la suite du
contre-choc pétrolier de 1985.

Face à ce problème de l'énergie, la France, au lendemain du premier
choc pétrolier (ou même auparavant, dès l'entre-deux-guerres), renoue
avec une réaction qui lui est classique depuis des siècles : supprimer ou au
moins atténuer la dépendance extérieure par le volontarisme. À partir des

années 1970, la France poursuit cet objectif selon trois axes : contrats à long terme avec des États exportateurs d'hydrocarbures (voie abandonnée au profit d'une diversification régulière des États fournisseurs) ; économies d'énergie ; enfin, pour l'électricité, développement systématique de l'énergie nucléaire, la France devenant même exportatrice de cette électricité vers ses voisins limitrophes.

◆ L'industrie

La France de cette fin de XXe siècle demeure surtout un grand pays industriel, vendant et achetant des biens manufacturés (environ les quatre cinquièmes de ses exportations et des ses importations). Ces proportions mettent en lumière l'importance de la fonction transformatrice de l'économie française (fabriquer, à partir de matières premières et de biens intermédiaires, des produits finis).

Les faiblesses de l'industrie française dans la compétition extérieure ne cessent d'être soulignées par les rapports officiels et officieux : présence sur un trop large éventail de secteurs, se traduisant par une spécialisation insuffisante, par un nombre réduit des « créneaux porteurs » sur lesquels les entreprises françaises tiennent une position prééminente (luxe, agro-alimentaire, etc.) ; absence de percée dans les zones les plus dynamiques (États-Unis, Asie) ; taille souvent inadéquate des groupes face aux colosses allemands, américains ou japonais ; attention excessive, du fait du poids et du rôle industriels de l'État, aux grands projets spectaculaires, très coûteux et d'une rentabilité aléatoire ; sous-estimation de l'importance d'un tissu vivant de petites et moyennes entreprises — celles-ci tendant à rester trop centrées sur le marché français, un millier de grandes firmes réalisant les trois quarts des exportations françaises ; enfin faiblesse de l'image de la France, gardant une réputation, selon un rapport du Conseil Économique et Social (« *L'image de la France à l'étranger et ses conséquences »,* avril 1993), de « pays cher, de peuple arrogant et peu ouvert vers l'extérieur ».

Pourtant les ventes industrielles de la France constituent les quatre cinquièmes de ses exportations. Les Français savent malgré tout commercer ! À cet égard, les premiers postes d'exportation sont aussi les premiers d'importation : voitures particulières, machines de bureau et matériels électroniques, produits de la chimie organique.

Les industries françaises d'armements, le modèle français et ses faiblesses

• Depuis les années 1960, sous l'impulsion du général de Gaulle, la France s'est dotée d'« une défense indépendante ». Cette politique implique notamment que la France fasse elle-même ses armements ou, au moins, ceux constituant le noyau dur, la part la plus sophistiquée de sa défense (moyens nucléaires, avions, missiles). La France doit donc disposer, dans ces domaines, d'entreprises dynamiques, maîtrisant les techniques les plus avancées.

Cette ligne d'indépendance a des conséquences économiques et financières. Maintenir un potentiel militaire adapté, dans un monde où la course aux armements est une donnée permanente, coûte cher. Dans ces conditions, l'exportation de certains matériels doit alléger le fardeau, en permettant des séries plus longues. Pour justifier auprès de l'opinion ces ventes d'engins de destruction, le gouvernement français a toujours insisté sur ce lien entre indépendance et exportation.

Enfin ces exportations, portant souvent sur des produits de pointe (en particulier, avions *Mirage*), font l'objet d'une surveillance, d'un encadrement politiques, le gouvernement français marquant sa volonté d'opérer de manière responsable (par exemple, empêcher ou contrôler d'éventuelles réexportations). Toutefois, l'impératif de vendre se traduit par d'énormes opérations plutôt hasardeuses (avec la Libye de Khadafi, l'Irak de Saddam Hussein).

Dans les années 1970 et 1980, la France s'impose, derrière l'Union soviétique et les États-Unis, comme le troisième exportateur mondial d'armements. La France réussit alors à combiner choix politique et intérêt économique.

• En cette décennie 1990, les industries d'armements — françaises et étrangères — traversent une crise structurelle.

— *Du côté de la demande,* plusieurs facteurs se cumulent pour la déprimer durablement : les grands acheteurs des années 70 (essentiellement les pays du Moyen-Orient massivement enrichis par la hausse du prix du pétrole) sont saturés et n'ont plus les disponibilités financières du passé ; en Europe, l'heure est au désarmement, l'antagonisme Est-Ouest s'étant évanoui, et les États souffrant tous de déficits budgétaires et d'endettement.

— *Quant à l'offre,* elle est surabondante. Au cours des décennies récentes, les exportateurs d'armements se multiplient (par exemple, en Europe occidentale, outre le Royaume-Uni — fournisseur traditionnel —, Allemagne fédérale, Suède, Espagne, Pays-Bas). Des pays du tiers monde ont édifié des industries d'armements (Inde, Brésil, Argentine, Israël). Enfin, avec l'écroulement des États communistes — armés à outrance —, d'énormes quantités de matériels se trouvent bradées.

Le marché des armements, qui se trouvait tenu par un nombre restreint d'États, est de plus en plus anarchique.

• Pour la France, ses industries d'armements constituent l'un des « bijoux de sa couronne », l'un des symboles de sa modernisation, de sa capacité à se tenir dans le peloton de tête. En ces années 1990, la mutation est douloureuse : chute de l'emploi ; recul de la part des exportations dans le chiffre d'affaires total (en 1981, 40 % de ce chiffre d'affaires ; en 1991, 25 %) ; restructuration des entreprises. Les armements, secteur « noble », obéissent finalement aux lois économiques les plus classiques.

◆ Les services

En cette fin de XXe siècle, en France, comme dans tous les pays les plus développés, les services représentent au moins les deux tiers de la production nationale (en ce qui concerne la France, effectifs : 57,1 % en 1980 ; 66,1 % en 1991). Cette place croissante des services résulte de phénomènes de fond (ainsi, dans le secteur industriel, explosion des activités de service : marketing, commercialisation, crédit après-vente). Les services sont une catégorie très hétérogène, les uns « marchands » (commerce, transports, télécommunications, banques, assurances, tourisme), d'autres « non marchands » (administrations publiques, enseignement), d'autres brouillant la frontière « marchand-non marchand » (santé).

En ces années 1990, la France est le deuxième exportateur mondial de services (en 1990, 10,7 % des exportations mondiales), derrière les États-Unis (15,5 %), devant le Royaume-Uni (7,2 %), l'Allemagne (6,7 %), le Japon (5,4 %).

Derrière cette réussite globale, le bilan détaillé se révèle beaucoup plus contrasté. Du côté positif, l'ingénierie, les grands travaux et surtout « l'or bleu », le tourisme ; du côté négatif, les transports et assurances, les redevances sur les brevets — soulignant que les brevets étrangers utilisés en France sont bien plus nombreux que les brevets français utilisés à l'étranger —.

Enfin, l'un des facteurs d'incertitude réside dans l'internationalisation des services, c'est-à-dire dans la multiplication des implantations d'entreprises ; à cet égard, dans ces secteurs, les étrangers investissent deux fois plus en France que les Français à l'étranger.

Paris, place financière internationale

Même si, pour le général de Gaulle, « la politique de la France ne se faisait pas à la corbeille » (c'est-à-dire à la bourse), l'une des marques du rayonnement du pays, surtout en cette fin de XXᵉ siècle, réside dans son aptitude à attirer et à redistribuer des flux internationaux d'argent. Ainsi que l'illustrent la Grande-Bretagne, les États-Unis ou le Japon, l'essor international d'un pays s'accompagne de l'émergence, en son sein, d'un ou de plusieurs centres financiers. À cet égard, Paris a toujours rêvé d'être Londres.

• D'un point de vue historique, Paris, en tant que place financière, rassemble tous les provincialismes du système français : faible niveau des transactions par comparaison avec celui des grandes places internationales ; réglementation lourde et tatillonne ; emprise du corporatisme (ici, des agents de change) ; manque d'ouverture sur l'étranger.

La bourse de Paris apparaît à la remorque des bourses occidentales, s'efforçant de les imiter — par exemple, en 1967, création, sur le modèle de la *Securities Exchange Commission (SEC,* États-Unis*), de la Commission des Opérations de Bourse (COB).*

• En 1984-1985, sous l'impulsion de Pierre Bérégovoy — alors ministre socialiste de l'Économie et des Finances —, le marché financier de Paris subit une véritable révolution. Il s'agit de mettre la bourse de Paris à l'heure de la déréglementation et de la globalisation :
— par le décloisonnement du marché des capitaux. Ainsi, avec les billets de trésorerie (imitant le *commercial paper* américain), les grandes entreprises sont en mesure de se financer directement sur les marchés, en se passant de l'intermédiaire coûteux que sont les banques ;
— par la promotion de systèmes nouveaux. C'est, par exemple, le célèbre *Marché à terme des instruments financiers de Paris (MATIF).* Les contrats à terme d'instruments financiers — lancés à Chicago au début des années 1970 — permettent aux agents économiques de transférer des risques de variation de prix ou de taux vers d'autres agents acceptant de se porter contrepartie. Ce mécanisme connaît un succès spectaculaire.

• En dépit de ces remarquables innovations, Paris reste une place modeste, loin derrière Tokyo, New York, Londres ou Francfort, mais aussi des bourses asiatiques dont la croissance est vertigineuse (Singapour, Hong-Kong), comme le montre la capitalisation boursière des actions nationales :

en milliards de dollars US	1985	1991
New York	1 950,3	3 484,4
Tokyo	948,3	3 117,3
Londres	353,5	974,6
Francfort	178,3	372,3 (1990)
Paris	79,1	347,4

Paris souffre de handicaps bien difficiles à surmonter :
— *Son retard.* La « révolution » des années 1980 ne fait que le combler.
— *L'amplification de la concurrence entre les places financières.* Il existe désormais de considérables flux mondiaux des capitaux, chaque bourse se battant pour les capter. Les places asiatiques sont portées par le formidable enrichissement de la zone Asie-Pacifique. Les places américaines — New York ; Chicago qui, au début des années 90, réalise plus de la moitié des transactions internationales à terme (futures et options) — bénéficient du poids, de la position centrale des États-Unis dans les circuits internationaux. En Europe, Londres garde des atouts décisifs (ses institutions financières, son expertise et... la langue anglaise) ; en outre, en automne 1986, c'est le *Big bang* de la *City* : suppression de toute commission fixe ; accès totalement ouvert au marché ; transactions en continu d'ordinateur à ordinateur.
Dans un environnement aussi effervescent, Paris reprend une voie connue : la coopération franco-allemande (en 1993, connexion de Paris et de Francfort pour les opérations financières à terme).

II - LES ENTREPRISES FRANÇAISES DANS LE MONDE, LES ENTREPRISES ÉTRANGÈRES EN FRANCE

La position internationale d'une économie, et donc d'un pays, ne saurait être appréciée, surtout en cette fin de XXe siècle, uniquement à travers les exportations et les importations. Pour une économie fondée sur l'ouverture et l'interdépendance, l'insertion dans les circuits d'échanges s'évalue aussi à travers les flux d'investissements — français à l'étranger, étrangers en France.

Ici aussi les réalités se révèlent plus complexes, plus contradictoires que les images établies. D'un côté, en ce qui concerne les très grandes entreprises — les seules engagées dans ces opérations d'investissements —, les groupes français se montrent en retard dans leur déploiement international par rapport, évidemment, aux Américains mais aussi aux Britanniques, aux Allemands, aux Néerlandais ; ce retard est en partie comblé, dans la seconde moitié des années 1980, par une explosion des investissements directs français à l'étranger. D'un autre côté, la France, considérée comme fermée aux étrangers, se révèle être, en ces années 1990, avec les États-Unis et la Grande-Bretagne, l'un des pays occidentaux les plus pénétrés par les multinationales.

A/ Les entreprises françaises dans le monde

◆ Les raisons du retard français

L'internationalisation des grandes entreprises françaises, par l'exportation d'abord, mais aussi par l'investissement (construction d'usines, installation de filiales, rachat d'entreprises locales), apparaît plus récente et moins poussée que celle des sociétés américaines, britanniques, allemandes. Pourquoi ?

• *L'internationalisation des entreprises d'un pays ne peut être dissociée de son évolution générale.*

Des années 1870 jusqu'à 1945, l'industrialisation de la France, déjà loin derrière celle de l'Angleterre, depuis la fin du XVIIIᵉ siècle (démarrage de la révolution industrielle), se poursuit à un rythme bien lent par comparaison avec celle des États-Unis et de l'Allemagne. Les gouvernements, soit ignorent cette question, soit regardent l'industrialisation et l'urbanisation comme des menaces pour l'équilibre social de la France. Tandis que la Grande-Bretagne, par la *City* de Londres, sa présence sur les océans et son empire, raisonne naturellement en termes planétaires, tandis que l'Allemagne se sent à l'étroit dans ses frontières et envoie partout dans le monde des commis-voyageurs, la France, dont la population stagne, reste rivée à son sol. La France a des barons (par exemple, les Wendel, les Schneider) et des génies industriels (par exemple, dans l'automobile, André Citroën, Louis Renault), mais ils restent finalement des exceptions.

À l'issue de la Seconde Guerre mondiale, la France, marquée par le désastre de 1940, sait qu'elle doit se moderniser à grande allure. Mais la priorité va nécessairement au territoire national, à son équipement, à son industrialisation.

À l'exception de secteurs tout à fait particuliers (pétrole, transports aériens), l'internationalisation des entreprises françaises ne s'impose comme une exigence qu'après les Trente Glorieuses (1945-1975). Les entreprises les plus dynamiques ont besoin de nouveaux marchés. L'ouverture des frontières françaises, amorcée dès les années 1950, intensifie, à un degré jamais atteint, la compétition étrangère, contraignant les entreprises françaises à réagir, à manœuvrer, notamment en s'implantant dans les pays concurrents.

• Le rôle de l'ancien Empire

Pour tout État colonisateur, son empire est censé lui fournir les produits bruts indispensables et lui garantir des débouchés pour son économie. La France de la IIIe République suit cette pente d'autant plus facilement qu'elle ferme ses frontières. Toutefois l'Empire, à son apogée, n'occupe qu'une place limitée dans le commerce extérieur français : en 1935, les colonies fournissent 25,8 % des importations françaises, tandis que 31,6 % des exportations françaises se dirigent vers ces colonies. Depuis la fin de la Seconde Guerre mondiale, ces liens privilégiés s'effilochent d'abord du fait de la décolonisation. L'Afrique au sud du Sahara se développant mal, la chasse gardée qu'elle était pour certaines entreprises françaises n'est plus qu'une addition de marchés pauvres.

• L'internationalisation est une aventure hasardeuse

Prendre pied sur un marché nouveau réclame des investissements considérables, des années d'efforts — parfois vains —, l'affrontement d'obstacles plus ou moins visibles, réglementaires, institutionnels, mais aussi culturels (ainsi que l'illustrent, depuis les années 1980, les débats sur l'impossibilité de pénétrer le marché japonais, protégé moins par les dispositions officielles que par des traditions, des pratiques excluant l'étranger). Face à ces défis, beaucoup de grandes entreprises françaises ont cumulé et cumulent encore plusieurs handicaps : taille insuffisante — même après les restructurations des années 80 — ; ressources financières

(le « trésor de guerre ») trop limitées ; culture d'entreprise trop « hexago-
nale », trop peu internationalisée ; dirigeants issus des grandes écoles
(Polytechnique, École nationale d'administration), ayant une expérience
de service public et parfois prisonniers d'une approche administrative,
centralisatrice, dans un univers exigeant une flexibilité, une adaptation
permanentes.

Une dernière difficulté pèse lourd, surtout à partir des années 1980 : le
statut d'entreprises publiques ou nationalisées de certains des plus grands
groupes français (vagues de nationalisations certes au lendemain de la
guerre, puis, sous la présidence Mitterrand, au début des années 1980). À
une époque d'internationalisation accélérée, une entreprise appartenant à
l'État ne peut (au moins en principe) faire appel à des capitaux privés ; de
plus, une telle entreprise est toujours soupçonnée de disposer d'avantages
indus (aides publiques).

Nombre d'entreprises dans les cent premières mondiales

	1985	1990	1992
États-Unis	49	33	28
Japon	12	16	20
Allemagne	8	12	16
France	6	10	8
Royaume-Uni	5	7	7

Source : L'Expansion, supplément annuel sur l'évolution mondiale des entreprises,
10 novembre/8 décembre 1993.

◆ L'effervescence des années 1980 : mutation des entreprises françaises ? ou mode dangereuse ?

Dans la seconde moitié des années 1980, les investissements directs à
l'étranger des pays du G5 — États-Unis, Japon, Allemagne fédérale,
Grande-Bretagne et France — connaissent une augmentation spectaculaire. Les raisons de fond sont connues : intensification de l'internationalisation des grandes entreprises, tentant d'être présentes sinon sur les trois
marchés clés (États-Unis, Japon, Europe occidentale), au moins sur deux
d'entre eux ; poussée des investissements des groupes japonais, contournant les limites mises à leurs exportations aux États-Unis et en Europe
occidentale ; perspectives du grand marché européen de 1993 (plus de

300 millions de consommateurs), poussant Américains et Japonais soit à s'implanter, soit à étendre leurs installations sur le Vieux Continent.

● *La montée des investissements français à l'étranger*

La France s'engage, elle aussi, dans ce tourbillon : alors que, dans la période 1980-1985, les investissements français à l'étranger fluctuent autour de 20 milliards de francs par an, cette moyenne quintuple, s'élevant à 100 milliards de francs par an dans la période 1986-1990.

Les motivations des entreprises sont multiples et différentes de l'une à l'autre (gagner des parts de marché, se rapprocher de sa clientèle, faire des économies d'échelle, contourner des barrières tarifaires ou réglementaires, bénéficier de prix de revient moins chers, etc.).

Deux données caractérisent ces investissements :

— L'essentiel de ces investissements est réalisé par de grandes entreprises : Alcatel-Alsthom, Michelin, Saint-Gobain, Générale des Eaux, Compagnie de Suez. Les activités, le développement de ces entreprises exigent l'internationalisation. Qu'il s'agisse d'Alcatel dans les télécommunications, de Michelin dans les pneumatiques, ou de la Générale des Eaux dans le traitement des eaux et des déchets, la compétition internationale requiert de ne laisser échapper aucune occasion (saisir un marché qui s'ouvre, acheter la société locale qui constituera un vecteur de pénétration, s'associer avec les partenaires pertinents). Pour ces groupes, la terre tend à se transformer en un unique champ de manœuvres et d'affrontements, sur lequel il faut sans cesse surprendre, dépasser les concurrents, les marchés nationaux ou continentaux ne représentant plus que des points d'appui ou de repli. Dans ce jeu, les petites et moyennes entreprises sont le plus souvent démunies (capacités financières insuffisantes, opacité des réglementations étrangères, nécessité d'une réussite rapide).

— La répartition géographique de ces investissements français à l'étranger ne coïncide qu'imparfaitement avec celle des échanges commerciaux de la France.

Ainsi, moins de la moitié de ces investissement sont localisés dans la Communauté européenne (45,5 % en 1992), alors que la France réalise, au sein de cette Communauté, environ 60 % de son commerce extérieur ; il en va de même dans l'espace OCDE (71 % des investissements en 1992 ; environ 80 % des échanges commerciaux français). Ces écarts sont dus à des facteurs très divers. Par exemple, pour des marchés éloignés, importants et difficiles comme les États-Unis et le Japon, la percée — toujours aléatoire — réclame beaucoup de persévérance, donc des investissements, une implantation locale solide. De telles exigences ne sauraient être qu'encore plus pressantes pour les marchés hors OCDE.

Ces opérations sont risquées. De plus, toute entreprise fait des choix aussi raisonnés que possible. Ainsi, depuis les bouleversements de l'automne 1989, les entreprises françaises, s'implantant dans l'Europe ex-communiste, se dirigent principalement vers l'ancienne Allemagne de l'Est, où la France est le premier investisseur étranger. Ces nouveaux Länder de l'Allemagne unie offrent beaucoup d'avantages : appartenance à l'espace allemand et au marché unique européen ; main-d'œuvre moins chère et qualifiée.

• Les difficultés des années 1990

Cette explosion des investissements à l'étranger, au sein du monde occidental, dans la seconde moitié des années 1980, s'inscrit dans la vague de fond de l'internationalisation. Mais les années 1990 sont régies par un climat bien différent : croissance ralentie, ou même récession ; graves difficultés pour nombre de grandes entreprises, contraintes de réduire massivement leurs charges ; inquiétudes devant l'invasion des produits étrangers. Dans une conjoncture aussi incertaine, nombre d'investissements des années 1980 peuvent se révéler très décevants.

En ce qui concerne les entreprises françaises, et surtout les plus grandes, cette internationalisation ne semble guère réversible. Au début des années 1990, les entreprises françaises emploient, à l'étranger, près de 2 millions de salariés ; un gros quart de ces emplois relèvent des dix plus grands groupes français. La France se place donc parmi les premiers investisseurs mondiaux, derrière les États-Unis, la Grande-Bretagne, l'Allemagne et le Japon. Quelles sont alors les conséquences à long terme de cette internationalisation ? Ne s'établit-il pas un fossé croissant entre la logique de ces multinationales, condamnées à se comporter en caméléons (françaises en France, allemandes en Allemagne, américaines aux États-Unis), et la logique des États, prisonniers d'eux-mêmes, de leur enracinement territorial ?

B/ Les entreprises étrangères en France

◆ La France, l'un des principaux pays d'accueil d'investissements étrangers

Dans les années 1960, de Gaulle dénonce l'investissement étranger (en fait américain) comme une forme de colonisation, soulignant que les multinationales américaines bénéficient, par rapport aux entreprises des autres pays, d'un atout indû, le dollar, qui leur permet de réaliser des acquisitions à bon marché.

En ces années 1990, la France — perçue comme un pays fermé — se révèle être l'un des plus ouverts du monde. Derrière les États-Unis et la Grande-Bretagne, elle est la troisième terre d'accueil d'entreprises étrangères, ainsi que le met en lumière un rapport du Commissariat au Plan (21 avril 1992).

Le poids des entreprises étrangères dans le secteur industriel
1988

	% dans le chiffre d'affaires national	% dans l'emploi national
États-Unis	12	9
Royaume-Uni	21	13
RFA	21	16
Japon	1	1
France	28	22

Selon une étude de 1993 de l'*Institute for International Economics* (États-Unis), confirmant les travaux du Commissariat au Plan, la France est, en 1986, le pays dans lequel la part des sociétés étrangères dans la consommation intérieure est la plus forte : près de 30 %, contre un peu plus de 20 % en Grande-Bretagne et en Allemagne fédérale, 10 % aux États-Unis, 1 % au Japon. Enfin, près de 30 % des exportations françaises sont réalisées par des entreprises étrangères implantées en France.

Ces chiffres rappellent la fréquence de l'écart entre les discours politiques, les réglementations administratives d'un côté, et, de l'autre, les réalités économiques — le politique finissant par s'adapter, comme l'illustre, en 1992, la nomination d'un ambassadeur aux investissements étrangers, dont la mission est justement d'attirer vers la France de nouvelles entreprises étrangères.

Cette ouverture de la France aux entreprises étrangères ne saurait être tout à fait récente. Toutefois un changement de fond s'esquisse à partir des années 1970, la seconde moitié des années 1980 se caractérisant par une augmentation spectaculaire des investissements étrangers.

Cette mutation résulte d'abord de facteurs généraux. La France, pays industrialisé, profondément inséré dans le réseau multilatéral d'échanges, et membre de la Communauté européenne, attire, du fait même de cette situation, les entreprises étrangères. La vague d'investissements étrangers en France, dans la seconde moitié des années 1980, n'est qu'une des manifestations des transformations des économies de la triade (États-Unis, Japon, Europe occidentale) ; de plus, dans la perspective du marché unique européen de 1993, la France, au centre géographique de la Communauté à Douze, se trouve fort bien placée.

En outre les responsables français se rendent compte de l'importance, dans la compétition internationale, des investissements étrangers, ceux qui ne vont pas en France se dirigeant vers ses voisins et concurrents (Grande-Bretagne, Allemagne). Ce bouleversement de l'état d'esprit français apparaît de plusieurs manières. C'est l'opération *Euro-Disney* : la France offre à la société Walt Disney de nombreux avantages pour accueillir, sur son sol, un parc de loisirs typiquement américain ; l'identité culturelle française ne saurait peser aussi lourd que l'argent apporté par des millions de touristes !

Un autre exemple majeur concerne *les investissements japonais*. Pour la France — comme pour les États-Unis et le reste de l'Europe occidentale —, le Japon représente le premier des rivaux économiques, déstabilisant, par son dynamisme, de grandes industries (depuis les années 1980, automobile, notamment). Que faire ? Se protéger ? Mais quelle protection peut être efficace lorsque l'on appartient à un espace économique (la Communauté européenne) dans lequel d'autres États ouvrent leur porte à l'ennemi (en particulier la Grande-Bretagne qui regarde les investissements japonais sur son territoire comme un remède à son déclin industriel) ? Alors n'est-il pas plus sage d'accueillir de tels investissements, créateurs d'emplois, au lieu de les laisser aller dans le pays d'à côté ?

Face au Royaume-Uni et aux Pays-Bas, largement en tête en Europe pour ces investissements japonais, la France des années 1990 ne peut que vouloir rattraper le retard pris.

◆ **Les investissements étrangers, signes d'un bouleversement radical des rapports entre la France et l'extérieur**

En accueillant sur son sol des investissements étrangers, la France se soumet aux implications de la compétition internationale. Cette ouverture a un prix élevé : désormais des usines, des bureaux, des millions d'emplois dépendent de décisions arrêtées hors de France, au siège de sociétés mères pour lesquelles la France est un pays d'implantation parmi d'autres. D'où la tension de plus en plus aiguë, surtout dans des périodes de crise et de restructuration (années 1990), entre les stratégies globales de ces multinationales et les préoccupations nationales de défense de l'emploi (par exemple, en 1993, affaire *Hoover*, provoquée par une fermeture d'usine en France et un regroupement de sa production en Grande-Bretagne). Que subsiste-t-il de l'indépendance ou même de l'autonomie nationale, dans un tel environnement où chaque État est, lui aussi, en concurrence avec les autres et ne peut se soustraire à cette concurrence, sous peine de s'isoler des circuits internationaux ?

III - LA FIN DU MODÈLE ÉCONOMIQUE FRANÇAIS ?

La France, comme beaucoup d'autres nations, cultive l'exemplarité. En ce qui concerne l'économie, l'exemplarité française s'appelle « colbertisme ». La France aurait hérité du grand ministre de Louis XIV une approche volontariste, étatiste, dirigiste, centralisatrice de l'économie.

Ce modèle, dans lequel l'État est à la fois l'initiateur et l'ordonnateur de la vie économique, connaît un âge d'or durant les Trente Glorieuses (1945-1975). La France de ces trois décennies se reconstruit à la suite de la guerre, puis s'installe dans la société d'abondance. Les frontières s'ouvrent, mais les flux de marchandises, d'argent restent sous contrôle. L'État, s'appuyant sur un vaste secteur nationalisé (charbon, électricité, banques), guide l'économie, dans le cadre d'une planification souple, indicative. Il ne s'agit pas de rendre l'État maître de tout, comme dans les régimes totalitaires ; sa responsabilité est de fixer les grandes orientations, de promouvoir de grands projets d'intérêt national et de laisser à l'initiative privée la consommation courante des Français.

Au début des années 1960, ce modèle séduit le monde anglo-américain, pourtant profondément attaché au marché. En 1962, à la recherche d'une croissance plus forte, la Grande-Bretagne, sous le gouvernement conservateur d'Harold Macmillan, crée, en 1962, un Conseil national de développement économique (*National Economic and Development Council* ou *Neddy*). Les États-Unis du président Kennedy étudient, eux aussi, la planification à la française. Puis, comme toute mode, celle-ci passe.

À partir des années 1970, le modèle français se trouve progressivement déstabilisé. L'ouverture croissante de l'économie française vide de son effficacité et de son sens un interventionnisme même incitatif. Les hausses brutales du prix des hydrocarbures, l'abandon, en matière monétaire, des parités fixes pour des taux de change flottants installent un environnement international de plus en plus imprévisible.

En 1981, l'élection à la tête de l'État d'un président socialiste promet une renaissance de ce modèle français (en particulier, dans l'industrie et la banque, nationalisations massives, visant à donner à l'État la pleine maîtrise du développement économique et des secteurs regardés comme stratégiques). Le désenchantement vient très vite. Le monde est à l'heure du libéralisme, des grandes manœuvres d'entreprises, de la connexion des marchés. À partir de 1983, d'abord par la réforme des marchés financiers (en 1985, Marché à terme des instruments financiers — MATIF —), le gouvernement socialiste se rallie à la vague de la déréglementation. En 1986-1988, la première cohabitation (président socialiste, gouvernement de droite) donne lieu à quelques privatisations (CGE, Paribas) ; avec la seconde cohabitation (1993), ces privatisations s'amplifient.

Alors, en cette fin de XXᵉ siècle, que subsiste-t-il de la spécificité française en matière économique ?

A/ La spécificité française

◆ Une vision d'ingénieurs-hauts fonctionnaires ?

Le modèle français émane de la fusion de deux démarches.

• *La démarche de l'ingénieur*

Celui-ci, en France, incarné d'abord par les polytechniciens, a le culte des techniques, des objets les plus sophistiqués — de la tour Eiffel au supersonique *Concorde*.

• *La démarche du haut fonctionnaire*

Pour celui-ci, le développement économique est indissociable de la grandeur de l'État, du service public. D'où une hiérarchie (plus ou moins niée) entre ce qui est « noble », « stratégique » (armements, aéronautique, espace, travaux publics) et ce qui ne l'est pas (biens de consommation). Ces élites d'ingénieurs et de hauts fonctionnaires appartiennent aux grands corps de l'État (Mines, Ponts et Chaussées, Inspection des finances), où se maintient le modèle français.

◆ Les grands projets

Cette vision française s'organise autour de grands projets, de l'avion à réaction *Caravelle* (années 1950) à la sidérurgie portuaire (au tournant des années 1960-1970, Fos-sur-mer), de l'édification d'une industrie française de l'informatique (en 1966, plan Calcul) au plan Câble (1982) visant à couvrir, en quelques années, le territoire français d'un réseau de câbles en fibre optique polyfonctionnels (télécommunications, télévision, ordinateurs).

Pourquoi cet attrait jamais démenti pour ces projets grandioses ? Il y a le goût de la performance, le désir de marquer que les Français restent, malgré tout, les meilleurs. Il y a aussi la conviction — ou l'illusion — que de telles opérations, agissant comme une baguette magique, aboliront d'un seul coup des années, des décennies de retard. Ainsi, avec Fos-sur-Mer, situé près d'une énergie alors à bon marché (pétrole du Moyen-Orient) et des lieux de consommation, la France disposerait de la sidérurgie la plus perfectionnée et la moins coûteuse. Le plan Câble ferait de la France le pays du futur, chaque Français se retrouvant « branché » à la totalité du monde.

◆ La coopération européenne

Devant ces grands projets, la France prend conscience, au cours des dernières décennies, que ses ressources, d'abord financières, sont insuffisantes pour les mener à bien. La coopération européenne, la mobilisation de partenaires européens apporteront les moyens supplémentaires nécessaires. De plus, la réalisation entre Européens de ces projets contribuera à bâtir une personnalité européenne, s'affirmant, dans les industries de pointe, face aux États-Unis et à l'Union soviétique.

Depuis les années 1960, la France est et demeure le grand promoteur des coopérations industrielles européennes, qu'il s'agisse, par exemple, de l'espace, depuis les années 1960 (fusées *Ariane*), ou de l'aéronautique (lancement d'*Airbus*, au début des années 1970).

Le souci de relever « le défi américain » (pour reprendre le titre du livre de Jean-Jacques Servan-Schreiber, publié en 1967, et dénonçant déjà le retard industriel européen face aux États-Unis) est illustré de manière frappante par le programme EURÊKA.

Le 23 mars 1983, dans un discours retentissant, le président Reagan annonce l'Initiative de défense stratégique (« guerre des étoiles »), projet futuriste de construction d'un bouclier spatial, detiné à mobiliser les ressources scientifiques et techniques américaines et à distancer définitivement l'Union soviétique dans la course aux armements. En avril 1985, la France, voulant marquer que l'Europe, elle aussi, peut s'unir autour des techniques de l'avenir, propose le programme EURÊKA. Il ne s'agit pas d'entrer en concurrence directe avec les États-Unis sur le terrain des armements spatiaux, mais de bâtir un cadre souple, coordonnant, fédérant, sous l'étiquette européenne, les recherches engagées par les pays Ouest-européens dans des secteurs de pointe (biotechnologie, robotique, informatique). EURÊKA est mis en place en juillet 1985, et apporte son soutien à plus de 500 projets, associant dix-neuf pays européens.

B/ La crise du modèle colbertiste

◆ Les entreprises

Dans le modèle colbertiste, les entreprises, ou plutôt les plus grandes d'entre elles, tendent à être des champions nationaux, illustrant, dans leur secteur d'activités, l'excellence française. De ce point de vue, les nationalisations doivent parfaire cette articulation entre objectifs des entreprises et intérêt national.

Or, depuis les années 1980, cette notion de champion national souffre partout où elle a été mise en avant. Ainsi, l'entreprise automobile Renault, nationalisée en 1945, connaît, dans les années 1980, un effondrement de ses parts de marché, et se trouve contrainte d'accomplir une restructuration massive et douloureuse. De même Bull, depuis le plan Calcul (1966), doit constituer le cœur d'une industrie français de l'informatique puissante et compétitive ; or Bull ne parvient pas à prendre son envol et s'enfonce dans des difficultés à répétition.

Plus largement, que peut être un champion national dans un monde où les entreprises, pour survivre et se développer, s'internationalisent, accueillent des capitaux étrangers, renoncent à l'intégration verticale, à la centralisation pour des structures souples et mobiles ? Les politiques de privatisation confirment cette séparation de l'État et de l'entreprise.

◆ L'État

Dans le schéma colbertiste, la mission de l'État est de guider et de financer de grands projets : chemins de fer, atome, espace, télécommunications, etc. Depuis les années 1970, plusieurs évolutions ruinent cette conception.

— L'État, capable de planifier l'équipement de l'espace national, se révèle lourd, maladroit, bureaucratique dans un environnement ouvert, régi par l'imprévisible. De plus, l'abondance des moyens budgétaires, apportée par une croissance forte et une dose d'inflation, laisse la place à des difficultés aiguës de financement public.

— Les entreprises, appuyées, subventionnées par l'État, découvrent que cette protection les inhibe, les handicape dans une concurrence de plus en plus dure. L'État lui-même se rend compte des effets pervers de cette protection.

En cette fin de XXᵉ siècle, le rôle de l'État, notamment dans les pays les plus industrialisés, s'organise autour d'une priorité : adapter le mieux possible l'économie, la société à la compétition internationale. L'État doit créer un environnement (législation, fiscalité, équipements collectifs, système éducatif, etc.) aussi favorable que possible à la fois à l'épanouissement des initiatives nationales qu'à l'association de partenaires étrangers.

◆ L'Europe

« Le modèle à l'œuvre dans la construction européenne, dont l'acte majeur de la décennie qui vient de s'écouler est le marché unique, est libre-échangiste dans son inspiration. Il privilégie l'échange et la satisfaction du consommateur plutôt que la création d'une base industrielle européenne. Il est davantage fondé sur les catégories du droit que sur l'expression d'une volonté de puissance publique. Il crée un espace formellement homogène mais où les particularismes réglementaires nationaux biaisent la concurrence. Enfin, pour la Commission de Bruxelles, la politique industrielle, c'est le marché unique, plus la recherche précompétitive, la politique des champions nationaux étant le contrôle-modèle absolu. » (Élie Cohen, auteur de *L'État brancardier*, 1989 et *Le Colbertisme « high tech »*, 1992, *Le Monde,* 23 février 1993).

La France — comme tous les autres États membres de la Communauté européenne — imagine l'Europe unie comme un prolongement plus vaste d'elle-même. D'où le transfert, vers l'Europe, des grands projets.

Mais cette Europe est un enjeu que se disputent plusieurs visions — française, allemande, britannique —. Pour le Royaume-Uni, la Communauté européenne doit être un marché libre et largement ouvert sur l'extérieur. Dans cette perspective, l'approche colbertiste, les grands projets ne représentent que des survivances coûteuses, héritées des traditions dirigistes du continent.

La France est donc l'une des principales puissances industrielles qui toutes appartiennent, pour quelque temps encore, au monde occidental, à la triade États-Unis, Japon, Europe de l'Ouest.

Dans ce peloton de tête, le rang de la France est moyen, ainsi que l'illustrent les dépôts de brevets en 1990 :

en milliers de demandes	Brevets déposés par des nationaux à l'étranger	Brevets déposés par des nationaux dans le pays	Brevets déposés dans le pays par des étrangers
États-Unis	237	82	78
Japon	115	317	40
Allemagne	135	53	60
Grande-Bretagne	62	24	66
France	**55**	**12**	**60**
Italie	25	3	50

Source : Brevets d'invention, Que sais-je ?, n° 1143,
Presses Universitaires de France.

En cette fin de XXe siècle, le paysage économique mondial se trouve en bouleversement permanent : règles du jeu instables et contestées ; déferlement de nouvelles industries et de nouveaux services (électronique, informatique, télécommunications) ; émergence de la zone Asie-Pacifique.

Ces mutations modifient profondément la problématique de l'économie française. De la fin de la Seconde Guerre mondiale aux années 1970, l'espace atlantique, euro-américain, était bien le centre du monde, cumulant prospérité, stabilité et puissance. L'Europe occidentale s'installe désormais dans une transition difficile : croissance ralentie, ou même récession ; moindre dynamisme dans l'échange ; vieillissement des populations, etc. La France est un pays européen ; son avenir est indissociable de celui du reste de l'Europe d'abord occidentale.

— 5 —

La France et l'Europe

À la fin des années 1940, la France, dans son rapport avec le monde, accomplit un tournant historique : *le choix de l'intégration européenne.*

Du Moyen Age aux deux guerres mondiales, l'Europe est, pour la France, un terrain d'affrontements, de luttes.

Comme toute nation, la France s'édifie par une succession de combats avec ses voisins les plus proches : l'Angleterre des Plantagenêts, ces derniers revendiquant même, lors de la guerre de Cent Ans (1337-1453), une légitimité à régner sur la France aussi forte que celle des monarques capétiens ; l'empire des Habsbourg, encerclant la France au XVIᵉ siècle, etc.

De la guerre de Trente Ans (1618-1648) aux guerres révolutionnaires et napoléoniennes (1792-1815), la France s'impose, par sa population et son rayonnement culturel, comme une puissance en Europe, dont l'ambition hégémonique vise à dominer tout le continent. Mais ni Louis XIV, ni Napoléon Iᵉʳ ne réussissent dans cette entreprise ; ils se heurtent à l'obstination de l'Angleterre, résolue à briser l'expansion française, et déchaînent, contre la France, de formidables oppositions (ainsi l'Allemagne de la fin du XVIIIᵉ siècle et du début du XIXᵉ prenant conscience de ses faiblesses, du handicap de sa division, par ses résistances au modèle français, aux interventions françaises).

De 1815 (défaite finale de Napoléon) à la Seconde Guerre mondiale, la France fait l'apprentissage de sa vulnérabilité.

Lors du congrès de Vienne (septembre 1814-juin 1815), la Prusse, tenant à venger l'humiliation d'Iéna (1806), souhaite l'éclatement de la France. Mais celle-ci est sauvée notamment par la Grande-Bretagne, attachée à l'équilibre européen, et continuant à considérer comme l'un des piliers de cet ordre une France monarchique et assagie.

De 1852 à 1870, Napoléon III, se voulant fidèle à son oncle, Napoléon Iᵉʳ, tente à nouveau de modeler l'Europe selon la vision française, en promouvant le principe des nationalités. Napoléon III paie ce rêve par le désastre. Certes, il aide l'Italie à s'unifier, mais la laisse frustrée en lui refusant Rome — dont elle finit par s'emparer en 1870, profitant de la débâcle française. Et surtout, le principe des nationalités exige l'unification de l'Allemagne, qui se réalise contre la France. Le 18 janvier 1871, l'Empire allemand est proclamé dans la galerie des glaces de Versailles, c'est-à-dire dans le château construit par le Roi-Soleil, qui avait eu, pour ligne directrice, le maintien, à la frontière de la France, de territoires allemands morcelés entre de multiples principautés (traités de Westphalie, 1648).

De 1871 à 1914, la France espère, attend la revanche, mais elle sait qu'elle ne peut combattre seule l'Allemagne. Elle n'est plus la « grande nation » d'Europe, mais un pays vaincu, dont le siège au sein des grandes puissances européennes ne va plus tout à fait de soi. Patiemment, la France bâtit ses alliances avec la Russie (1893-1894) et l'Angleterre (Entente cordiale, 1904). En 1914, par un enchaînement de circonstances naissant à Sarajevo (assassinat de l'archiduc autrichien François-Ferdinand, 18 juin 1914), l'heure de la revanche sonne enfin. Mais, pour la France, le prix est terrible : 1 400 000 morts, auxquels s'ajoutent des centaines de milliers de blessés et des destructions considérables.

La victoire de 1918 est tragique. La France tend à être à nouveau perçue — d'abord par son allié britannique — comme la puissance hégémonique sur le continent. Or les plus lucides des gouvernants français sentent combien la France est épuisée par la guerre. Alors la France opte pour la solution des faibles : ligoter l'Allemagne, par le traité de Versailles, le 28 juin 1919 (limitation stricte des moyens militaires, réparations) afin d'immobiliser ce vaincu qui a gardé toute sa vigueur. Très vite les liens sont desserrés ; et, à partir de 1933, Hitler, devenu chancelier, les fait sauter les uns après les autres. En juin 1940, la France subit face à l'Allemagne nazie une débâcle analogue à celle de 1870.

En 1945, grâce à la détermination du général de Gaulle et à l'appui de Churchill — fidèle à la philosophie de l'équilibre européen —, la France se retrouve parmi les vainqueurs de l'Allemagne. Le jeu peut recommencer comme lors des soixante-dix ans qui viennent de s'écouler. Dès

décembre 1944, alors que les hostilités contre l'Allemagne ne sont pas ter-
minées, de Gaulle, soucieux d'affirmer les responsabilités propres de la
France, se rend à Moscou et signe, le 10 décembre, un pacte d'assistance
franco-soviétique dirigé contre l'Allemagne. C'est la résurrection de l'alliance franco-russe. De même, dans la lignée des traités de Westphalie et
de Versailles, la France de 1945-1947 préconise une Allemagne neutrali-
sée, en partie dépecée (rattachement de la Sarre à la France ; soumission
de la Rhur — considérée, avec son charbon et son acier, comme la source
de toute l'agressivité industrielle de l'Allemagne — à une autorité internationale). Le 4 mars 1947, à Dunkerque — lieu symbolique de la lutte
commune de 1940 contre Hitler —, la Grande-Bretagne et la France
concluent un traité d'assistance contre l'Allemagne.

Pourtant, à partir de 1948, à la suite du blocus des voies d'accès terrestre
à Berlin par l'Union soviétique (juin 1948-mai 1949), la France se trouve
conduite à penser ses relations avec l'Europe — et donc d'abord avec
l'Allemagne — d'une manière radicalement nouvelle. Quelles sont les
données et les significations de ce choix européen de la France (I) ?

Ce choix d'intégration européenne a été maintenu depuis 1950, mais il
ne se réalise pas sans difficultés, sans tensions, sans sacrifices pour la
France, sans une révision de son rôle et de son identité (II). Enfin, depuis
1989, avec les bouleversements du paysage européen (chute des régimes
communistes Est-européens, écroulement du rideau de fer, unification de
l'Allemagne), l'engagement européen de la France, son sens et, plus largement, la puissance française sont confrontés à une réévaluation majeure
(III).

I - LE CHOIX EUROPÉEN DE LA FRANCE

Tout choix est l'enfant de la nécessité. Il n'exprime en rien une liberté
absolue, détachée de l'espace et du temps ; au contraire, il s'agit d'une
réponse humaine — donc complexe, équivoque, le plus souvent contradictoire — à la pression des faits.

A/ Un choix à la fois mûri et chargé de réticences

En deux ans, de l'été 1948 au printemps 1950, la France adopte une politique européenne radicalement nouvelle. De 1870 à 1947, la question cen-

trale, pour la France, est : comment faire face à la menace allemande ? De
1948 à 1989, la question centrale devient : comment vivre avec l'Allemagne, dans une Europe partagée et dominée par l'antagonisme Est-
Ouest ?

◆ Pourquoi ce tournant historique ?

Tout choix essentiel peut être longuement préparé, mais il ne se concrétise
que sous le poids des réalités.

Ainsi, tout au long de l'entre-deux-guerres, la France ne cesse de se
heurter au problème allemand : que faire avec ce pays, que la France et ses
alliés ont vaincu en 1918, mais qui demeure, au centre de l'Europe, une
puissance dynamique, formidable, pesant plus lourd que chacun de ses
voisins (France, Grande-Bretagne, Pologne, Tchécoslovaquie), malgré,
sans doute, une exception : la Russie métamorphosée en Union soviétique ? Ligoter l'Allemagne (traité de Versailles, 1919) ? La punir (réparations, occupation de la Ruhr en 1923) ? Ou se réconcilier avec elle (de
1925 à 1930, c'est la politique de Briand, nouant le dialogue avec son
homologue allemand, Stresemann) ? La venue d'Hitler au pouvoir, en
1933, ne clôt en rien ce débat ; au contraire, elle le charge d'enjeux idéo-
logiques. Pour des intellectuels (Pierre Drieu La Rochelle, Jacques
Benoist-Méchin) et des politiques, marqués par la boucherie de la Première Guerre mondiale, l'entente franco-allemande assurera seule la paix
en Europe. De plus, dans le climat fiévreux des années 1930, l'Europe
paraît devoir choisir entre fascisme et communisme ; l'Allemagne hitlérienne s'offre alors comme le meilleur rempart contre le bolchévisme
soviétique.

Durant la Seconde Guerre mondiale, les mouvements de résistance en
Europe prennent conscience, par et dans la lutte contre le nazisme, d'une
communauté d'idées : rendre impossible le retour de la barbarie hitlérienne ; bâtir des sociétés plus prospères et plus justes, interdisant l'engrenage fatal des années 1930 ; par conséquent, dépasser les haines nationales
par l'unification de l'Europe. Le 19 septembre 1946, à Zurich, Churchill
(alors chef de l'opposition en Grande-Bretagne), qui a conduit, avec une
énergie indomptable, le combat de l'Angleterre contre Hitler, souhaite la
formation des États-Unis d'Europe et souligne : « Le premier pas de la
résurrection de la famille européenne doit être une association entre la
France et l'Allemagne. C'est seulement ainsi que la France pourra assu-

mer la direction morale en Europe. Il n'y aura pas de renouveau de l'Europe sans la grandeur spirituelle de la France, sans la grandeur spirituelle de l'Allemagne. »

Cependant, les idées généreuses ne suffisent pas. Pour que le rapport franco-allemand change, il faut une conjonction de conditions politiques favorables.

— *D'abord, en 1948, le blocus de Berlin par Staline.* La France, toujours hantée par l'ennemi allemand, n'exclut pas des concessions à Moscou, alors que, pour les États-Unis et la Grande-Bretagne, tout abandon de Berlin constituerait une abdication inacceptable devant l'Union soviétique. Les Allemands deviennent des victimes, des enjeux dans le bras de fer entre l'Ouest et l'Est. La France se rallie à la ligne américano-anglaise.

— *Ensuite, comme le souligne la crise de Berlin, la constitution d'une nouvelle donne européenne.* L'Europe d'après 1945 n'est plus celle des rivalités de puissances, de l'alternance des équilibres et des tentatives d'hégémonie ; elle est un continent divisé entre deux blocs politico-militaires, l'un dirigé par Washington, l'autre par Moscou. Pour Washington, dont la politique européenne s'organise autour de la menace d'un déferlement soviétique sur l'Ouest, il ne saurait être question de laisser le cœur de l'Europe — c'est-à-dire l'Allemagne (ou plus exactement la partie occidentale, occupée par les États-Unis, la Grande-Bretagne et la France) — en ruine et sans moyens militaires, alors que l'Armée rouge campe en Europe orientale. Quant à la France, qui figure parmi les États fondateurs de l'Alliance atlantique (4 avril 1949), elle ne peut que s'incliner : puisque l'Allemagne — ou au moins sa portion occidentale — doit renaître avec l'appui et l'argent américains, la seule voie raisonnable n'est-elle pas de tenter de s'entendre avec elle ?

— *Enfin l'édification d'une nouvelle Allemagne, décentralisée, démocratique, guérie de ses vieux démons.* La République fédérale d'Allemagne, qui naît officiellement en 1949, est d'abord un enfant des États-Unis, qui la construisent largement à leur image (notamment, fédéralisme). Cette « bonne » Allemagne, sous la direction du chrétien-démocrate Konrad Adenauer (1876-1967), constitue, pour la France, l'interlocuteur sur mesure, Adenauer ayant vécu, dans sa chair, la tragédie allemande des années 1914-1945 et voulant mettre fin aux chimères de son pays.

◆ Les réticences

Un choix historique, aussi clair soit-il, n'abolit pas les aspirations à d'autres politiques possibles.

Dans certaines parties de l'opinion française, tant de droite que de gauche, persiste la vision d'une France ni capitaliste, ni communiste, ni atlantiste, ni soviétique. À la fin des années 1940, des hommes aussi divers que l'écrivain Jean-Paul Sartre, le fondateur (et alors directeur) du quotidien *Le Monde*, Hubert Beuve-Méry, le philosophe Étienne Gilson, incarnent ce rêve d'une France non alignée. À cette époque, l'appartenance à l'Alliance atlantique, sous la direction de Washington, et l'engagement dans l'unification européenne se confondent, ces deux choix s'inscrivant dans le cadre d'une Europe protégée par les États-Unis. L'idée européenne est, de ce fait, contaminée et suspecte.

Ces réticences françaises, déjà vivement manifestées en 1948-1949 lors de la mise au point du Pacte atlantique, s'exaspèrent en 1952-1954 dans l'affaire du projet de Communauté européenne de défense (CED, 27 mai 1952), issu d'une initiative française (plan Pleven, 24 octobre 1950), et visant à encadrer le réarmement de l'Allemagne fédérale dans une structure européenne de défense.

Le débat sur la CED contient et annonce tous ceux qui suivront sur l'intégration européenne, en particulier celui de 1992 sur la ratification du traité de Maastricht sur l'Union européenne. Pour les « cédistes », la CED amorcera une Europe fédérale, dans un domaine clé de la souveraineté, la défense ; en outre, la CED brisera tout risque de renaissance de la « mauvaise » Allemagne, celle du nationalisme virulent et des aventures militaires, en contribuant à mieux ancrer l'Allemagne fédérale à l'Ouest, dans la communauté des États démocratiques. Pour les « anti-cédistes », la CED souffre de deux défauts inacceptables :

— elle aliène la souveraineté française, dans son noyau dur : la défense ;

— de plus, la CED repose sur une égalité des obligations et des droits des États participants, donc de la France et de l'Allemagne fédérale. Cette égalité est exigée par le chancelier Adenauer. Pour une partie de l'opinion française (gaullistes, communistes), l'Allemagne, en raison de son passé, doit rester un État sous surveillance et ne saurait être à égalité avec la France.

Finalement, le 30 août 1954, l'Assemblée nationale refuse de débattre de la ratification du projet de CED et enterre ainsi le traité de 1952.

B/ Significations du choix européen de la France

◆ L'opposition Monnet - de Gaulle, réalité ou/et mythe ?

La construction ou l'intégration européenne peut être définie comme un processus par lequel des États européens (à l'origine, six) mettent en commun certaines de leurs compétences au sein de structures institutionnelles (Communauté européenne du charbon et de l'acier — CECA —, Communauté économique européenne — CEE ou Marché commun). Face à ce processus, l'approche française s'organise autour de deux visions qui à la fois se contredisent et s'influencent.

• *La vision de Monnet*

Jean Monnet (1888-1979), « père de l'Europe », est l'homme du concret ; pour cet ancien marchand de cognac, ayant la responsabilité, lors des deux guerres mondiales, de la répartition de matières premières ou de l'achat de fournitures, premier Commissaire au Plan de modernisation et d'équipement (1946-1951), les problèmes doivent être traités en contournant ce qui ne peut être changé (les États-nations) et en trouvant le ou les leviers rendant l'action possible et efficace : « Il faut changer le cours des événements. Pour cela, il faut changer l'esprit des hommes. Des paroles n'y suffisent pas. Seule une action immédiate portant sur un point essentiel peut changer l'état statique actuel [...]. Il ne faut pas chercher à régler le problème allemand avec les données actuelles. Il faut changer les données en les transformant [...]. Les propositions Schuman [plan charbon-acier du 9 mai 1950, lançant la construction européenne] sont révolutionnaires ou elles ne sont rien. Leur principe fondamental est la délégation de souveraineté dans un domaine limité mais décisif » (Jean Monnet, *Mémoires,* Fayard, 1976, pp. 344 et 371). Ces phrases résument bien la « méthode Monnet », privilégiant les « réalisations concrètes créant d'abord une solidarité de fait » (préambule du traité CECA, 18 avril 1951).

Cette démarche semble porter en elle une Europe fédérale, allant au-delà du « maintien de l'équilibre » des intérêts des peuples européens vers leur « fusion ». Toutefois, pour Monnet, homme de cabinet, d'influence (« l'inspirateur », selon la formule du général de Gaulle), les nations et les politiques restent prisonniers de leurs préjugés ; il faut donc confier la construction de l'Europe à des sages, à des individus reconnus pour leur compétence et leur indépendance. D'où la Haute Autorité, exécutif de la CECA, puis la Commission du Marché Commun, collèges composés de telles personnalités.

• *La vision de de Gaulle*

De Gaulle (1890-1970), lui, est un politique profondément classique, qui raisonne en termes de rapports de force. À ses yeux, seules existent les nations, faites et défaites par l'histoire. L'unification européenne ne peut contourner les États-nations ; au contraire, elle doit se réaliser par leur rapprochement, leur coopération, leur concertation.

Dans les faits, les deux logiques, expressions de deux tempéraments opposés (l'un pragmatique et optimiste, l'autre romantique et pessimiste), ne constituent en rien deux blocs de pensée, mais plutôt des pôles, des points de repère. Monnet le « supranational » regarde la CED comme « une mauvaise affaire » ; de Gaulle le « nationaliste » se rallie, en 1958, au Marché commun.

L'opposition Monnet-de Gaulle traduit en définitive le tiraillement permanent de la France entre sa volonté d'être la grande promotrice de l'Europe unie et sa crainte de se perdre dans son propre projet.

◆ La réconciliation franco-allemande

L'Allemagne est et reste au centre de l'approche française de l'Europe.

L'Europe institutionnelle (CECA, CEE), en associant six États Ouest-européens (initialement dans les années 1950-1972), insère la relation franco-allemande dans des structures qui la dépassent et l'encadrent. Il s'agit à la fois d'éviter un face-à-face franco-allemand, porteur de confrontation, et d'amener l'Allemagne et la France, avec d'autres pays (Benelux, Italie), à travailler ensemble.

Toutefois le besoin d'une relation bilatérale forte entre Paris et Bonn s'impose dans les années 1958 (retour au pouvoir du général de Gaulle) - 1963 (signature du traité franco-allemand d'amitié et de coopération). De Gaulle, tout en acceptant, en 1958, la perspective de l'intégration économique par le Marché commun, veut une Europe unie, conforme à ses vues, fondée sur la concertation inter-étatique. D'où, entre juillet 1961 et avril 1962, les débats entre les Six sur le plan Fouchet d'union d'États. Le projet

Les visions françaises de la construction européenne

• Mémorandum Monnet du 3 mai 1950 :

« Il faut donc abandonner les formes passées et entrer dans une voie de transformation, à la fois par la création de conditions économiques de base communes et par l'instauration d'autorités nouvelles acceptées par les souverainetés nationales. L'Europe n'a jamais existé. Ce n'est pas l'addition de souverainetés réunies dans des conseils qui crée une entité. Il faut véritablement créer l'Europe, qu'elle se manifeste à elle-même et à l'opinion américaine et qu'elle ait confiance en son propre avenir. [...]

Dans cette conjoncture, la France est désignée par le destin. Si elle prend l'initiative qui éliminera la crainte, fera renaître l'espoir dans l'avenir, rendra possible la création d'une force de paix, elle aura libéré l'Europe. »

• Charles de Gaulle, *Mémoires d'espoir,* 1970 :

« Pour moi, j'ai, de tous temps, mais aujourd'hui plus que jamais, ressenti ce qu'ont en commun les nations qui la [l'Europe] peuplent. Toutes étant de même race blanche, de même origine chrétienne, de même manière de vivre, liées entre elles depuis toujours par d'innombrables relations de pensée, d'art, de science, de politique, de commerce, il est conforme à leur nature qu'elles en viennent à former un tout, ayant au milieu du monde, son caractère et son organisation. C'est en vertu de cette destination de l'Europe qu'y régnèrent les Empereurs romains, que Charlemagne, Charles Quint, Napoléon tentèrent de la rassembler, que Hitler prétendit lui imposer son écrasante domination. Comment, pourtant, ne pas observer qu'aucun de ces fédérateurs n'obtint des pays soumis qu'ils renoncèrent à être eux-mêmes ? Au contraire, l'arbitraire centralisation provoque toujours, par choc en retour, la virulence des nationalités. Je crois donc qu'à présent, non plus qu'à d'autres époques, l'union de l'Europe ne saurait être la fusion des peuples, mais qu'elle peut et doit résulter de leur systématique rapprochement. Or, tout les y pousse en notre temps d'échanges massifs, d'entreprises communes, de science et de technique sans frontières, de communications rapides, de voyages multipliés. Ma politique vise donc à l'institution du concert des États européens, afin qu'en développant entre eux des liens de toutes sortes grandisse leur solidarité. Rien n'empêche de penser, qu'à partir de là, et surtout s'ils sont un jour l'objet d'une même menace, l'évolution puisse aboutir à leur confédération. »

• François Mitterrand, *Réflexions sur la politique extérieure de la France*, 1986 :

« On peut dire que la Communauté a atteint ses premiers objectifs hérités de la guerre. Au départ, il fallait réconcilier, rassembler, atteler à une œuvre commune les peuples déchirés par la force et le sang. C'est fait. Maintenant l'alternative est : ou bien de laisser à d'autres, sur notre continent, le soin de décider du sort de tous, et donc du nôtre ; ou bien de réunir la somme des talents et des capacités, les facultés de création, les ressources matérielles, spirituelles, culturelles, qui, toutes ensemble, ont fait de l'Europe une civilisation pour, selon un mot que j'aime de Walt Whitman, qu'elle devienne enfin ce qu'elle est. [...]

L'Europe a toujours été de nature composite. Elle s'est développée par étapes, utilisant, selon ses besoins, les institutions qui sur le moment lui paraissent les plus adaptées, quitte à transformer leurs relations mutuelles. Mais il faut conserver des points de repère. C'est pourquoi il est indispensable de consolider le principal traité qui lie les pays européens entre eux et constitue leur foi fondamentale, je veux dire le traité de Rome. Et pourtant le même mouvement nous porte déjà au-delà de ce traité pour des domaines qu'il ne couvre pas. Je pense à l'éducation, à la santé, à la justice, à la lutte contre le terrorisme. »

• Déclaration de politique générale d'Édouard Balladur, 8 avril 1993 :

« Les objectifs de la politique européenne [de la France] sont clairs : approfondir le dialogue avec tous nos partenaires européens, au premier rang desquels l'Allemagne et la Grande-Bretagne ; revivifier les politiques communes actuellement en déshérence, notamment dans le domaine industriel ; limiter les dérapages budgétaires et soumettre l'activité trop bureaucratique de la Commission à un contrôle plus strict afin que la Communauté participe, elle aussi, au grand effort de restauration des équilibres financiers. Un dernier objectif, mais non le moindre, est de renforcer le système monétaire européen, dû à l'initiative du président Giscard d'Estaing et qui est fondé sur l'idée que le développement harmonieux des échanges est lié à la stabilité monétaire. »

échoue, les partenaires de la France redoutant son hégémonie. Le principe d'une concertation inter-étatique étroite est alors repris entre Paris et Bonn et donne naissance au traité de l'Élysée (22 janvier 1963).

Ce traité vise à établir, entre les différents niveaux des deux États (chefs d'État ou de gouvernement ; ministres des Affaires étrangères ; éventuellement autres ministres ; et aussi responsables d'administrations centrales), des échanges de vues systématiques. Telle est bien l'Europe des États selon de Gaulle : un dialogue régulier entre entités politiques légitimes.

Depuis les années 1960, la concertation franco-allemande passe par des hauts (entre Valéry Giscard d'Estaing et Helmut Schmidt, de 1974 à 1981, puis entre François Mitterrand et Helmut Kohl, de 1983 à 1992) et des bas (entre 1963 et 1974, les successeurs d'Adenauer se montrant bien moins disposés à supporter la suprématie française).

Toutefois, cette concertation Paris-Bonn s'impose comme le moteur de la construction européenne. Essentiellement du milieu des années 1970 au tout début des années 1990, l'Allemagne et la France, quoiqu'ayant chacune une conception bien spécifique de l'Europe unie, ont alors des préoccupations communes (en particulier, mise en place d'une Europe monétaire et politique). Durant cette quinzaine d'années, le couple franco-allemand trouve son équilibre et ses règles du jeu : l'Allemagne fédérale (partie occidentale d'un pays divisé, au statut provisoire) accepte d'être « moins égale » que la France qui, elle, est pleinement souveraine ; quant à la France, elle sait qu'il y a certaines demandes qu'elle ne peut pas faire à son partenaire allemand (principalement, donner la priorité à la solidarité européenne sur le lien avec les États-Unis). Dans ces conditions, si l'Allemagne et la France se mettent d'accord pour une avancée européenne, celle-ci est sûre de se matérialiser, sous réserve de laisser aux États membres, peu favorables à cette évolution, et d'abord au Royaume-Uni, une porte de sortie. Ainsi, en 1978, l'Allemagne et la France proposent l'instauration du Système monétaire européen (SME) ; le 13 mars 1979, le SME commence à fonctionner, la Grande-Bretagne refusant alors de faire entrer la livre sterling dans le mécanisme de change — dispositif imposant des marges de fluctuation aux cours des monnaies participantes.

La relation franco-allemande confirme que la dynamique de toute structure multilatérale (ici, la Communauté européenne) repose sur des rapports privilégiés entre certains États ayant un poids décisif (ici, l'Allemagne et la France) ; construction européenne et dialogue franco-allemand sont indissociables.

Dans la politique européenne de la France, la dimension allemande demeure fondamentale : l'Europe unie soude à la fois les deux pays et leur assure un avenir commun.

◆ **La Communauté (ou, depuis le 1ᵉʳ novembre 1993, l'Union) européenne, relais de charge, multiplicateur de puissance**

Chacun des États engagé dans la construction européenne cherche, dans cet édifice qui se bâtit, à réaliser ce qu'il n'est plus en mesure de mener à bien tout seul. Pour la France en particulier, la Communauté européenne peut et doit servir de point d'appui à une insertion renouvelée dans le système international.

— *Par des transferts de charges.* Ainsi, en janvier 1962, la France lie l'élimination des droits de douane entre les États membres à l'établissement d'une politique agricole commune (PAC), garantissant un niveau de prix aux productions agricoles communautaires, et les protégeant de la concurrence anarchique du marché mondial. Pour de Gaulle, le Marché commun doit apporter des avantages équilibrés à tous les partenaires : l'industrie Ouest-allemande étant la première bénéficiaire de l'ouverture des frontières, l'agriculture européenne et d'abord française doit elle aussi tirer profit de l'intégration européenne, le budget communautaire assumant les charges résultant de la PAC. De même, dès le traité de Rome, en 1957, la France veille à associer à la Communauté européenne ceux qui sont alors les « pays et territoires d'outre-mer » (essentiellement possessions africaines). Le dispositif eurafricain (Conventions de Yaoundé dans les années 1964-1975, puis de Lomé depuis 1975) permet à la France de transférer vers l'Europe unie certaines aides à l'Afrique en développement (par exemple, depuis 1975, stabilisation des recettes d'exportations de produits bruts — STABEX —).

— *Par la promotion d'actions communes.* La France reste la première promotrice de politiques communes, définies comme des démarches volontaristes, guidées par un objectif commun et mobilisant des ressources financières : PAC ; politique industrielle européenne, centrée autour de grands projets fédérateurs soit au sein de la Communauté (par exemple, ESPRIT, RACE, afin d'unir argent national et argent communautaire dans des recherches pré-compétitives), soit sur des bases spécifiques (avions *Airbus*, fusées *Ariane*). Ce que la France n'est pas ou plus capable de réaliser seule, l'Europe unie peut et doit le faire, édifiant ainsi son indépendance et marquant sa présence dans les techniques de pointe. Il y a là du colbertisme à l'échelle européenne.

— *Par l'utilisation de l'Europe unie comme instrument d'amplification.* Dans la logique française, l'Europe unie a vocation à être une grande puissance aux côtés des États-Unis, de l'Union soviétique (depuis décembre 1991, de la Russie), de la Chine. Cette force de l'Europe unie doit fournir un point d'appui à la politique internationale de la France, certes métamorphosée en politique européenne. Toutefois il n'y a guère d'exemples vraiment convaincants de cette transformation des thèses françaises en une volonté européenne. Ainsi, dans les années 1970, la France rallie ses partenaires de la Communauté à une attitude commune sur le conflit israélo-arabe, prenant en considération les aspirations du peuple palestinien (le 13 juin 1980, à Venise, déclaration des Neuf de la Communauté européenne, selon laquelle « le peuple palestinien [...] doit être mis en mesure d'exercer pleinement son droit à l'autodétermination [...]. L'OLP [...] devra être associée à la négociation »).

◆ La Communauté européenne, pré carré de la modernisation française

« Depuis la Libération, les Français, loin d'être abattus par les épreuves, ont fait preuve de vitalité et de foi dans l'avenir : développement de la production, modernisation, transformation de l'agriculture, mise en valeur de l'Union française, etc.

Or, au cours de ces années, les Français ont oublié l'Allemagne et sa concurrence [...].

L'augmentation de la production de l'Allemagne, l'organisation de la guerre froide ressusciteraient chez eux les sentiments de crainte du passé et feraient naître les réflexes malthusiens » (Mémorandum Monnet du 3 mai 1950).

Cet extrait du texte, qui est à l'origine du plan charbon-acier (déclaration Schuman, 9 mai 1950), résume la problématique de la France à l'issue de la Seconde Guerre mondiale : comment se moderniser, rompre avec le malthusianisme et le protectionnisme du passé, sans se briser très vite contre une concurrence étrangère, et d'abord allemande, ressentie comme toujours renaissante et invincible ?

La réponse à ce dilemme se précise peu à peu tout au long des années 1950 : il s'agit d'insérer la France dans un espace organisé de compétition, pré carré élargi. Dans ce Marché commun, l'économie française s'habituera à la concurrence — notamment allemande —, tout en bénéficiant d'amortisseurs, de règles (démantèlement par étapes des barrières entre les États membres ; établissement d'une protection commune aux frontières de la Communauté ; organisation du Marché commun par une législation européenne, assurant une égalité des conditions de concurrence entre les acteurs économiques et d'abord les entreprises).

La construction européenne représente bien, depuis 1950, le levier de la modernisation de la France. Deux moments-charnières confirment cette permanence du choix européen.

— *1958*. Le général de Gaulle, lorsqu'il revient aux affaires en 1958, n'aime guère cette Europe supranationale, inspirée par Jean Monnet. En 1957, de Gaulle a condamné la signature du traité de Rome, créant le Marché commun. Or, parmi les questions que doit trancher de Gaulle au cours de l'automne 1958, figure celle de la mise en œuvre de ce traité à partir du 1er janvier 1959. Finalement, de Gaulle ne remet pas en cause le processus : la France a signé et ratifié le traité, elle a donc donné sa parole ; de plus, de Gaulle sait qu'il n'y a pas de politique crédible sans une économie solide. Le souffle du Marché commun contribuera à balayer les archaïsmes, les corporatismes de l'économie française.

— *1983*. François Mitterrand, élu président de la République en mai 1981, décide une politique économique et sociale généreuse (relèvement des salaires et des prestations sociales, accroissement du déficit budgétaire). Très vite, cette politique entraîne des déséquilibres graves dans l'économie française et impose des dévaluations du franc. À la fin de 1982 et au début de 1983, le gouvernement français bute à nouveau sur un dilemme bien connu : la France, pour rester fidèle à la ligne socialiste, doit-elle se mettre en congé partiel des disciplines communautaires (retrait du franc du mécanisme de change du SME, afin de laisser la monnaie nationale flotter librement et ainsi faciliter les exportations françaises) ? Ou au contraire doit-elle accepter une politique économique rigoureuse et rester en phase avec ses partenaires européens et d'abord avec l'Allemagne fédérale ? Non sans débats, le gouvernement français se rallie, en mars 1983, à la rigueur. La Communauté européenne constitue bien un carcan, contraignant les États membres à respecter des disciplines et faisant de ce respect l'étalon de leur crédibilité. Il n'est jamais impossible de tricher avec ces disciplines et même de refuser ou rejeter certaines d'entre elles (Royaume-Uni ne faisant entrer la livre sterling dans le mécanisme de change du SME qu'en octobre 1990 et la sortant de ce mécanisme en septembre 1992). La France, elle, lie sa crédibilité internationale — et, ici, d'abord vis-à-vis de l'Allemagne — à sa capacité à assumer les contraintes européennes.

II - DIFFICULTÉS ET CONTRADICTIONS DU CHOIX EUROPÉEN DE LA FRANCE

En ces années 1990, le choix européen de la France a plus de quarante ans. Ce choix n'est pas statique ; sa réalisation soulève des difficultés, met à nu des contradictions, appelle des infléchissements. La France, en s'intégrant dans une Europe s'unifiant, devient la partie d'un ensemble qui la dépasse, mais au sein duquel elle est l'un des décideurs. Comment la France vit-elle ce choix européen ? Quelles interrogations suscite-t-il du point de vue des rapports entre la France et le monde ?

A/ De la difficulté de construire l'Europe à plusieurs

À un moment ou à un autre, chacun des pays participant à la construction européenne est conduit à penser que tout serait beaucoup plus simple s'il était seul en charge de cette entreprise, s'il n'y avait pas les autres États membres. En particulier, la France, du fait de sa vision relativement précise de ce que doit être l'Europe unie, ne saurait qu'être heurtée par l'approche — nécessairement différente — de ses partenaires, et surtout des deux plus importants, l'Allemagne fédérale et la Grande-Bretagne.

◆ Les incompréhensions franco-allemandes

La construction européenne n'a pas le même sens pour la France et l'Allemagne fédérale. La France conçoit, met en forme le projet d'unification européenne, dans un double but : établir une relation de paix et de coopération avec l'Allemagne ; consolider, élargir la puissance française par une assise européenne. La République fédérale d'Allemagne est issue d'une nation vaincue, divisée et regardée avec suspicion, en raison des douze ans de nazisme ; l'Allemagne fédérale doit prouver (et se prouver à elle-même) qu'elle est un pays comme les autres, enraciné dans la démocratie et la liberté. Cette Allemagne ne peut pas dire non à la construction européenne tout comme à son grand protecteur, les États-Unis.

Aussi les malentendus franco-allemands ont-ils, pour première origine, les rapports avec les États-Unis. Tandis que la France souhaiterait que l'Allemagne affirme sa préférence pour l'Europe — mettant au second rang le lien avec Washington —, l'Allemagne n'oublie pas que sa prospérité et surtout sa défense reposent sur la communauté atlantique. En 1963, le traité de l'Élysée, signé par de Gaulle et Adenauer, peut être interprété comme l'expression d'une Europe européenne, appelée à se détacher de l'Amérique. D'où, lors de la ratification du traité par le Bundestag, le vote par ce dernier d'un préambule rappelant la prééminence de l'Alliance atlantique.

De même la France s'inquiète de tout comportement, de toute politique indiquant que l'Allemagne fédérale regarde ailleurs que vers la Communauté. Au début des années 1970, la politique à l'Est — *Ostpolitik* —, menée spectaculairement par le chancelier social-démocrate Willy Brandt (visites à Moscou et à Varsovie), irrite la France de Pompidou, prompte à imaginer l'Allemagne fédérale renouant avec l'ambition pluriséculaire de la marche vers l'Est *(Drang nach Osten)*.

Au sein de la Communauté, des années 50 jusqu'en 1990 (unification de l'Allemagne), la relation franco-allemande se caractérise par une hiérarchie inavouée (la France « plus égale » que l'Allemagne). Les deux États se rejoignent pour tout ce qui va dans le sens d'une Europe plus cohérente (en 1974, Conseil européen, organe de concertation régulière des chefs d'État ou de gouvernement ; en 1979, SME ; actions industrielles ; depuis le milieu des années 1980, amorce d'une défense européenne, d'abord par l'approfondissement de la coopération franco-allemande). En même temps, les deux États ne partagent probablement pas le même rêve européen : pour la France, l'Europe unie doit être une puissance avec une identité et une volonté politiques ; pour l'Allemagne fédérale, cette Europe unie doit la prolonger, la consolider (par des disciplines monétaires, analogues à celles de la *Bundesbank* ; par un Parlement européen représentatif et exerçant un contrôle démocratique réel).

◆ L'affrontement franco-britannique

Les oppositions entre la Grande-Bretagne et la France résultent de siècles d'une histoire à la fois commune et conflictuelle. En 1945, le Royaume-Uni qui, avec les États-Unis et l'Union soviétique, est l'un des trois grands vainqueurs de l'Allemagne hitlérienne, est à bout de forces ; son immense empire colonial est appelé à s'émanciper ; l'Angleterre doit se trouver un nouveau rôle : elle sera le fidèle, le meilleur second des États-Unis *(the special relationship)*.

La France, elle, en 1945, est un vainqueur par raccroc. Pour effacer l'humiliation de 1940, elle se bat en vain pour garder son empire (en Indochine, de 1945 à 1954 ; en Algérie, de 1954 à 1962). En 1950, la France tient une nouvelle mission : la construction européenne. Ainsi, depuis 1945, la Grande-Bretagne et la France se ressemblent en demeurant les deux dernières grandes puissances — dans le sens classique du terme — de la vieille Europe, désormais divisée et dominée (jusqu'en 1989) par les États-Unis et l'Union soviétique.

Tout au long des années 1950, le Royaume-Uni refuse de participer à la construction européenne : c'est une affaire pour le continent, pour des pays qui ont été occupés. En 1958, la Grande-Bretagne tente tout de même de diluer le Marché commun à Six en gestation dans une grande zone européenne de libre-échange, incluant toute l'Europe occidentale ; de Gaulle met fin à la négociation sur ce projet (15 décembre 1958).

En 1961, puis à nouveau en 1967, la Grande-Bretagne, se rendant compte qu'elle ne peut pas rester hors d'une Europe en construction, pose sa candidature pour entrer dans la Communauté européenne et se heurte à chaque fois au non de de Gaulle. Pour ce dernier, la Grande-Bretagne, par ses liens avec le Commonwealth et surtout avec les États-Unis, demeure fidèle au grand large, à un destin non européen. L'Angleterre doit donc prouver sa conversion à l'Europe.

Finalement, en 1969, de Gaulle ayant quitté le pouvoir, son successeur, Georges Pompidou, lève l'opposition française à la venue de la Grande-Bretagne. Les partenaires de la France au sein de la Communauté ont nettement marqué que la construction européenne ne saurait se poursuivre sans l'Angleterre. De plus, le couple franco-allemand traversant une période difficile (débuts de l'*Ostpolitik*, éveillant la méfiance de la France), naît l'idée de sa substitution par un dialogue privilégié entre Paris et Londres.

En fait, une fois le Royaume-Uni entré dans la Communauté (le 1er janvier 1973), la France se trouve confrontée à une vision de l'Europe unie opposée à la sienne.

La France veut une Communauté aussi soudée que possible, en particulier par des solidarités communes (PAC fondée sur des prix agricoles garantis et une protection aux frontières ; budget communautaire, doté des ressources propres ; Union économique et monétaire). Pour le Royaume-Uni, la Communauté doit être essentiellement une zone de libre-échange, intégrée dans l'espace atlantique, ouverte sur le marché mondial ; les dispositifs d'intervention ou de protection, et d'abord la PAC, ne constituent que des obstacles artificiels et coûteux au commerce international.

Dès 1974-1975 (sous le gouvernement travailliste d'Harold Wilson), puis surtout en 1979-1984 (Margaret Thatcher étant alors Premier ministre conservateur), se déroule, à propos du financement de la Communauté, un bras de fer entre la conception française et la conception britannique de l'Europe unie.

Pour la France, le budget communautaire matérialise l'existence d'une Communauté autonome. Ses dépenses servent alors pour l'essentiel à financer la PAC, expression majeure de la solidarité communautaire dans le domaine agricole. Quant aux ressources, elles sont « propres » (affectation à la Communauté des droits de douane, des prélèvements sur les importations de produits agricoles et d'un pourcentage des recettes des États membres au titre de la taxe à la valeur ajoutée – TVA).

Le Royaume-Uni raisonne tout autrement. Dans un premier temps, il compare ce qu'il verse (au titre des ressources propres) à la Communauté et ce qu'il en reçoit — fort peu, le gros des dépenses allant à la PAC. Dans un deuxième temps, l'Angleterre compare le poids de sa contribution nette (écart entre versements à la Communauté et concours de la Communauté) dans la totalité des contributions, et la part de son produit national brut dans le produit de l'ensemble de la Communauté. La préoccupation britannique est double : le juste retour, principe selon lequel ce qu'apporte chaque État membre à la Communauté doit être à peu près égal à ce qu'il en reçoit ; la proportionnalité du fardeau de chaque État membre à sa richesse (ou sa pauvreté) relative. Ainsi, pour la France, la Communauté doit être un tout cohérent, avec une identité spécifique. Pour la Grande-Bretagne, la Communauté reste une association d'États, les actions communes (essentiellement la mise en place d'un marché unique) répondant à un intérêt minimal partagé par tous les États membres.

En juin 1984, au Conseil européen réuni à Fontainebleau, l'affaire est réglée par un compromis. Le système communautaire, le régime des ressources propres, la répartition des dépenses ne sauraient qu'être maintenus. Mais le Royaume-Uni obtient une position dérogatoire (réduction des deux tiers de ses versements au titre de la TVA).

Le règlement de la question du budget ne signifie pas la conciliation des visions française et britannique. Au contraire, dans tous les débats européens, resurgit l'opposition entre les deux perspectives, la première attachée au développement d'un pôle européen avec un rôle propre, la seconde regardant la Communauté comme un grand marché appelé à se fondre progressivement dans le marché mondial.

Comme l'illustrent les rapports franco-allemands ou les rapports franco-britanniques, le choix européen de la France entraîne l'acceptation de négociations permanentes avec ses partenaires européens. La construction européenne, amorcée par des initiatives françaises, n'appartient pas à la France ; elle se fait dans le jeu des intérêts nationaux et d'un intérêt européen commun en formation.

B/ Quelle Europe économique ?

Depuis les années 1950, la France reste fidèle à la même vision de ce que doit être l'Europe unie dans le domaine économique : un espace d'échanges, débarrassé des barrières existant entre les États membres, affirmant une identité commune face aux pays tiers, et enfin renforcé par des politiques communes (industrie, technologies de pointe...).

Cette conception rencontre deux difficultés majeures.

◆ **Dans les rapports entre la Communauté et les pays tiers**

La Communauté européenne prend réellement forme dans les années 1960 avec la réalisation de l'union douanière (suppression des tarifs douaniers entre les États membres ; instauration d'un tarif extérieur commun – TEC). Or cette Communauté, zone privilégiée d'échanges, doit se faire accepter, reconnaître par les pays tiers ; ces derniers se considèrent comme lésés exclus de ce système préférentiel, et veulent bénéficier de ce nouveau marché. Ainsi, depuis les années 1960, la Communauté est engagée dans un ensemble de négociations quasi permanentes, une multitude d'accords avec les États européens non membres de la Communauté (notamment, pays neutres), les États parties contractantes du GATT (négociations commerciales multilatérales), le Japon, les pays méditerranéens, les pays d'Afrique, des Caraïbes et du Pacifique (ACP, conventions de Lomé), les pays d'Europe centrale et orientale. Dans ce travail sans fin, la Communauté diminue son tarif extérieur commun, octroie d'innombrables aménagements, concessions, dérogations. Alors que subsiste-t-il de l'identité communautaire ?

La France se centre sur deux axes :

● *La libéralisation organisée*

« La libéralisation des marchés doit être organisée et maîtrisée au niveau multilatéral [...]. La suppression ou des réductions brutales et excessives des droits dans des secteurs en phase d'ajustement ou confrontés à une concurrence parfois déloyale auraient des effets dévastateurs pour l'emploi » (Extrait du mémorandum français sur l'Uruguay Round, au sein du GATT, 13 mai 1993). Ce lien entre libéralisation et organisation est une des constantes du discours français. Il s'agit de se démarquer de toute libéralisation sauvage, avantageant les plus forts ou ceux qui trichent avec les règles. Cette préoccupation de la France contribue à la faire apparaître comme un pays protectionniste, posant en préalable l'impératif d'organisation et entravant de ce fait la libéralisation.

● *La défense de secteurs « stratégiques »*

Il s'agit de secteurs dans lesquels la France est un important exportateur (principalement agriculture, automobile) et/ou qui, à ses yeux, sont vitaux pour l'avenir de l'Europe comme acteur technico-économique international (électronique, aéronautique, espace, etc.). Dans ces domaines, la Communauté doit être une, d'abord par des règles communes face aux pays tiers (par exemple, mécanismes des prélèvements et des restitutions dans la PAC), puis par une stratégie commune à l'égard des concurrents les plus redoutables (par exemple, à l'occasion de l'achèvement du marché unique — échéance 1993 —, négociation avec le Japon de limitation des exportations d'automobiles de ce pays vers la Communauté).

La vision française est largement partagée par les États méditerranéens de la Communauté (Italie, Espagne). L'Allemagne se révèle à nouveau contradictoire : elle est, dans les grands programmes européens (avions *Airbus*, fusées *Ariane*), le premier associé de la France ; de même, elle aide et défend ses activités frappées par le déclin ou souffrant de la concurrence internationale (charbon, sidérurgie, agriculture) ; mais l'Allemagne, dont plusieurs industries (chimie, automobile) se déploient hors d'Europe est très attachée au multilatéralisme, ainsi qu'à son lien avec les États-Unis.

Enfin il y a la Grande-Bretagne, très hostile à toute protection économique extérieure de la Communauté, refusant une forteresse Europe, isolée du marché mondial.

La vision française est contrainte de s'accommoder de ces différents points de vue. La Communauté des années 1960, avec l'union douanière et la PAC, est incontestablement française. En ces années 1990, l'héritage français demeure considérable, de la PAC aux grands programmes européens ; toutefois la Communauté n'a plus la cohérence de ses débuts et, dans certains domaines (produits industriels, et même services), tend à ne constituer qu'une zone de libre-échange.

◆ Au sein de la Communauté

Pour la France, l'Europe économique s'inscrit dans une finalité politique : l'édification d'un pôle européen où se rejoignent l'intégration interne et l'unification externe.

Ainsi, depuis le début des années 1970, la France souhaite une Union économique et monétaire (UEM) au sein de la Communauté. Pour la France, l'UEM doit doter l'Europe unie d'une identité monétaire (à terme, monnaie commune), s'imposer comme le maillon entre l'intégration économique et l'union politique.

L'Allemagne fédérale qui, dans ce processus chaotique d'UEM, est le partenaire-clé de la France (ne serait-ce que par le poids du deutschemark), a une approche différente. Pour Bonn, qui identifie la renaissance allemande au lendemain de la guerre au deutschemark, l'UEM — impliquant à terme la disparition de ce deutschemark dans une monnaie européenne — n'a de sens qu'à la condition que soient étendues, à l'échelle de l'Europe unie, les disciplines économiques et monétaires allemandes.

Ce qui distingue — et peut-être sépare — la France et l'Allemagne, c'est, d'abord et toujours, leur situation respective. Pour la France, l'UEM consolide, épanouit la cohésion de l'Europe unie. L'Allemagne, elle, raisonne en fonction de la valeur qu'a pour elle le deutschemark : le sacrifice de ce dernier sur l'autel de l'unité européenne doit s'accompagner d'une Europe monétaire à l'allemande.

Ce que révèle le dossier monétaire, c'est que, même lorsque deux ou plusieurs États membres de la Communauté adhèrent au même objectif, leurs raisons sont différentes. D'où, surtout dans les périodes de crise (en particulier, en ce qui concerne l'UEM, lors des tempêtes monétaires de 1992-1993), des incompréhensions, des tensions : ainsi la France espère-t-elle que l'Allemagne facilitera sa politique du « franc fort » en abaissant ses taux d'intérêt, alors que la *Bundesbank*, maîtresse de ces taux en Alle-

magne, pense, elle, aux dérapages inflationnistes dus à l'unification allemande. Un grand projet fédérateur (ici, l'UEM) peut se changer en révé-
lateur de ce qu'ont d'irréductibles les priorités nationales.

C/ Quelle Europe institutionnelle ?

Du point de vue institutionnel, la France ne cesse d'être tiraillée entre les
deux conceptions dont elle est l'initiatrice. Selon la démarche de Jean
Monnet, l'Europe unie s'incarne dans des institutions supranationales,
dépassant les États, et disposant d'une réelle indépendance (ainsi, pour les
membres de la Commission de la Communauté, nomination pour une
durée déterminée). Selon la conception gaullienne, l'Europe unie doit être
conduite par une concertation entre les États membres, et d'abord entre
leurs responsables suprêmes.

La France des années 1950 promeut, d'abord avec la CECA, l'Europe
supranationale. Dans les années 1960 et 1970, la France, sans remettre en
cause le texte même des traités, cherche et obtient un rééquilibrage au profit de l'Europe des États. C'est, le 29 janvier 1966, *le « compromis »* — ou
plutôt le constat de désaccord — *de Luxembourg* ; ce document, sans portée juridique, indique que, pour la France, « lorsqu'il s'agit d'intérêts très
importants, la discussion devra se poursuivre jusqu'à ce que l'on soit parvenu à un accord unanime » entre les États membres, même si le traité de
Rome, instituant la Communauté économique européenne, stipule que des
décisions peuvent être prises à la majorité — simple ou qualifiée — des
États membres. La France dit tout haut, clairement, ce que ses partenaires
désirent eux aussi : pour la plupart des décisions, l'unanimité reste la règle
de fait jusqu'à l'Acte unique (1986), traité visant à accélérer l'achèvement
du marché unique.

En décembre 1974, à l'initiative de la France et de l'Allemagne fédérale, est créé *le Conseil européen*, instance de rencontre périodique entre
les chefs d'État ou de gouvernement de la Communauté. L'Europe des
États marque un point majeur : le Conseil européen devient le gouvernement politique de l'Europe, l'enceinte qui donne les impulsions, les orientations de fond, et par laquelle sont réglés les dossiers les plus délicats (par
exemple, financement de la Communauté). Le traité de Maastricht sur
l'Union européenne (7 février 1992) confirme ce rôle central du Conseil
européen : « Le Conseil européen donne à l'Union [européenne] les

impulsions nécessaires à son développement et en définit les orientations politiques générales » (Article D).

Dans cette perspective institutionnelle, la difficulté essentielle, pour la France, réside dans la contradiction probable entre sa volonté d'une Europe cohérente et sa fidélité à l'État-nation. La France veut une Europe fortement unie, mais elle ne conçoit pas un État-nation européen.

Alors que l'Allemagne fédérale, préconisant une Europe unie à son image, insiste sur la dimension démocratique de la Communauté (renforcement des pouvoirs et de la légitimité du Parlement européen), la France, très proche sur ce point du Royaume-Uni, n'envisage de démocratie qu'enracinée dans une histoire pluriséculaire. En septembre 1976, la France signe, avec ses partenaires de la Communauté, l'Acte portant élection des députés européens au suffrage universel direct ; c'est là en principe un pas important vers la formation d'un peuple européen, transcendant les peuples nationaux. En fait, depuis le premier scrutin de ce type en 1979, les élections européennes ne mobilisent guère les populations des États membres. Pour la France, le Parlement européen reste un lieu de discussion sans responsabilité réelle.

D/ Politique étrangère européenne, politique étrangère nationale

En 1970 naît *la coopération politique européenne*, mécanisme de concertation des politiques étrangères des États membres de la Communauté. Il s'agit bien d'une concrétisation de l'Europe gaullienne fondée sur les États.

Pour la France, le mécanisme est utile dans la mesure où il transforme en position européenne des axes de la diplomatie française (essentiellement sur le conflit israélo-palestino-arabe, avec la déclaration des Neuf à Venise, en juin 1980).

Mais la France, aussi longtemps qu'elle se considère comme une grande puissance, ne saurait renoncer à une politique étrangère nationale. Dans tous les domaines majeurs de la puissance française (par exemple, liens avec l'Afrique, rapports avec les États-Unis ou avec l'Union soviétique), la diplomatie reste nationale, la coopération politique européenne servant essentiellement, au moins jusqu'à l'aube de la décennie 1990, à l'adoption de déclarations communes sur des dossiers ne touchant pas aux intérêts

directs des États membres (par exemple, prises de position sur les problèmes Est-Ouest, dans les années 80). Alors, y a-t-il complémentarité ou
contradiction entre le choix européen de la France et son ambition de
conserver une influence propre ? L'Europe unie, lorsqu'elle fait siennes
les thèses françaises, leur donne un plus vaste écho ; mais ces thèses sont-
elles encore françaises ? À long terme, l'idée française de cohésion européenne n'appelle-t-elle pas une action extérieure intégrée ?

III - LA FRANCE ET L'EUROPE DANS LES BOULEVERSEMENTS ENCLENCHÉS PAR LA CASSURE DE 1989

Entre la fin des années 1940 et 1989, l'Europe s'installe dans une sorte de
parenthèse historique : elle est divisée entre deux blocs, l'un dirigé par les
États-Unis, l'autre par l'Union soviétique, et cette situation semble être
destinée à se perpétuer pendant de longues décennies. En 1989-1991, tout
est bouleversé : écroulement des régimes communistes en Europe orientale ; chute du rideau de fer ; unification de l'Allemagne ; dissolution de
l'Union soviétique.

A/ L'évanouissement des atouts relatifs de la France

Depuis les années 50, les circonstances, leur évolution permettent à la
France de combiner trois atouts ; néanmoins la valeur de ces atouts, déjà
largement affaiblie avant même les bouleversements de 1989-1991, s'est
dissipée.

◆ Premier atout : l'indépendance ou plus exactement l'autonomie française

Dans les années 60, la diplomatie gaullienne a pour ligne directrice l'indépendance de la France. Mais le mot « indépendance » peut avoir mille
contenus différents. À cet égard, de Gaulle trouve un équilibre : la France,
tout en restant membre de l'Alliance atlantique, se retire des organes militaires intégrés (1966) et se dote d'une force nucléaire indépendante. La

France peut se poser ainsi en État-charnière entre l'Est et l'Ouest (politique à l'Est de de Gaulle, en 1966-1968).

Ce premier atout a quelque chose d'illusoire.

— Dès que survient une crise dans les rapports Est-Ouest (de l'invasion de la Tchécoslovaquie par les troupes du pacte de Varsovie en 1968 à la crise des euromissiles en 1979-1983), la France ne peut oublier qu'elle appartient à un camp et qu'elle ne saurait faire cavalier seul lorsque l'orage avec Moscou menace.

— Pour l'Union soviétique, la France reste un État membre de l'Alliance atlantique. Ainsi Moscou évalue la force de dissuasion française comme une composante de l'arsenal occidental.

— Enfin, à partir de la fin des années 1960, la politique française à l'Est est concurrencée par *l'Ostpolitik* de l'Allemagne fédérale qui, en particulier pour l'Est communiste, apparaît comme un meilleur partenaire économique (fourniture d'équipements).

◆ **Deuxième atout : l'inégalité de la relation franco-allemande**

Tandis que la France est pleinement elle-même, l'Allemagne des années 1945-1990 est une nation vaincue, divisée, surveillée.

L'unification de l'Allemagne en 1990 a, pour la France, deux conséquences.

— *Une Allemagne unie, « normale ».* De ce fait, le poids démographique, économique de l'Allemagne se fait lourdement sentir, les difficultés et le coût de l'unification contribuant à perturber beaucoup d'économies européennes, dont celle de la France.

— *L'Allemagne au centre de l'Europe.* L'Allemagne divisée de la fin des années 1940 à 1989, est faite de deux États-frontières (Allemagne fédérale à la frontière du bloc soviétique, République démocratique allemande à celle du camp occidental). Avec la disparition du rideau de fer et l'unification, l'Allemagne retrouve sa situation historique de centre de l'Europe — ce qui à la fois multiplie les capacités d'échange, de rayonnement de l'Allemagne (vers l'ouest et vers l'est) et, en même temps, fait de ce pays la terre de heurt des ondes de choc européennes (par exemple, afflux de réfugiés d'Europe orientale et des Balkans).

D'où, pour la France, une Allemagne plus contradictoire, plus nerveuse et plus impérative.

◆ Troisième atout : une Communauté européenne aux frontières stables

Depuis les années 1950, la Communauté européenne, même si le nombre de ses États membres s'élève de six à douze, reste un ensemble Ouest-européen, coupé — et protégé — de l'Europe orientale et de l'essentiel des Balkans par le rideau de fer.

La Communauté s'inscrit dans l'espace occidental, et elle a pour pré-occupations extérieures majeures ses rapports avec le grand protecteur américain et, depuis les années 1980, avec le Japon.

Avec les bouleversements de 1989-1991, la Communauté se trouve contrainte de se penser à l'échelle de tout le continent européen (accueil des États dits « neutres » — Autriche, Suède, etc. ; liens avec les pays d'Europe centrale et orientale — PECO — dans la perspective de leur adhésion à plus ou moins long terme).

La France, dès l'adhésion de la Grande-Bretagne (1973), fait l'apprentissage d'une Communauté européenne de plus en plus diverse, et donc de moins en moins maîtrisable. Dans le nouveau paysage européen qui prend forme depuis 1989, la Communauté se trouve entraînée dans un réexamen radical de ses finalités (fédération européenne, ou simple espace de règles communes ?), de sa composition (quels nouveaux États membres, quelles conditions imposer à leur venue ?).

B/ La France entre le rêve incertain de l'Union européenne et le doute national

◆ Le traité de Maastricht sur l'Union européenne, ultime avatar de la vision française

Face aux bouleversements depuis 1989, et afin de préserver l'idée d'une Communauté européenne cohérente, le président François Mitterrand et le chancelier Helmut Kohl, marquant qu'au lendemain de l'unification alle-mande le couple franco-allemand existe toujours, proposent, en 1991, une relance de l'Union européenne. L'inspiration est en fait tout autant conser-vatrice que tournée vers l'avenir : au moment où l'Europe perd ses repères Est-Ouest et s'installe dans une situation mouvante, il faut consolider, ren-forcer de manière irréversible la Communauté à Douze.

D'où la proposition d'une Union européenne, se développant autour de deux axes : l'Union économique et monétaire (UEM), menant, par étapes, à une banque centrale commune et à une monnaie unique ; l'Union politique, se traduisant par une citoyenneté européenne, ainsi que par une politique étrangère et de sécurité commune (PESC).

La grande ambition de Maastricht, qui devrait couronner la politique européenne de François Mitterrand, se défait tout au long de 1992-1993 — même si, non sans mal, le traité finit par être ratifié par les douze·États membres. L'Union européenne naît le 1er novembre 1993.

Du point de vue de la France, le projet de Maastricht bute sur deux obstacles qui, semble-t-il, n'ont pas été prévus.

— *La division des Français face au traité.* Au lendemain de la signature du traité (7 février 1992), sa ratification par la France va de soi. Le président de la République, sûr que sa conviction européenne est partagée par le plus grand nombre des Français, retient, pour l'approbation du traité, la procédure de référendum, un vote direct du peuple ne pouvant que renforcer la légitimité du traité.

Au cours de l'été 1992, les débats en vue du référendum révèlent des Français profondément partagés. Pour ceux qui se sentent pris dans la dynamique de l'internationalisation, il n'y a pas d'alternative à l'unification communautaire. Mais, la Communauté constituant un excellent bouc émissaire dans une période de crise économique et de chômage, les laissés-pour-compte et les déçus de l'Europe sont de plus en plus nombreux : agriculteurs inquiets de l'avenir de la PAC ; régions frappées par le déclin industriel ; Français ayant le sentiment que la Communauté est une machine bureaucratique, broyant les identités nationales.

Le 20 septembre 1992, le référendum donne un misérable oui (participation : 70,51 % ; oui : 51,01 % ; non : 48,98 %).

— *Le « franc fort » et la relation franco-allemande.* Depuis 1983, la France, soucieuse d'être reconnue comme un pays sérieux, maintient une politique de « franc fort » (réduction réussie de l'inflation).

Au début des années 1990, le double impact de l'unification de l'Allemagne et de la crise économique souligne de manière insupportable le prix de cette politique (montée irrésistible du chômage, récession). En particulier la France, pour assurer la parité du franc par rapport au mark, se trouve contrainte de garder des taux d'intérêt plus élevés que ceux de l'Allemagne (afin que les capitaux flottants, placés en franc, ne soient pas attirés vers la monnaie allemande).

À partir de l'été 1992, du fait des incertitudes planant sur l'avenir du traité de Maastricht, plusieurs vagues de spéculation affaiblissent le franc. Afin d'alléger ces tensions, la France espère une baisse de taux d'intérêt allemand par la *Bundesbank*. Or cette dernière, préoccupée par les poussées inflationnistes en Allemagne (du fait des problèmes de l'unification), fait la sourde oreille.

Le 1ᵉʳ août 1993, sous la pression des marchés, les ministres des Finances de la Communauté assouplissent massivement les disciplines du Système monétaire européen mis en place en 1979 : les monnaies participantes, donc le franc, peuvent désormais fluctuer de plus ou moins 15 % par rapport à leur parité (ou taux central), au lieu de plus ou moins 2,25 %.

Les gouvernements français et allemand multiplient rencontres et déclarations pour prouver que rien n'est changé, que la relation franco-allemande demeure aussi étroite. Le doute s'installe quand même.

◆ **Quel avenir pour le choix européen de la France ?**

Le choix européen de la France est, semble-t-il, quasi irréversible. Ce choix est inscrit dans des acquis fondamentaux : réconciliation et dialogue franco-allemands ; internationalisation de l'économie française ; préservation de la paix en Europe. Ce choix est soutenu par la quasi-totalité des responsables politiques (à l'exception du Parti communiste et du Front national). Pour que ce choix soit remis en cause, il faudrait, en France, des ruptures sociales et politiques majeures, amenant au pouvoir des courants politiques anti-européens.

Mais l'évolution de la construction européenne n'a jamais été aussi ouverte. Le moteur de l'application du traité de Maastricht — une fois ratifié — doit être l'UEM, la marche vers la Banque centrale européenne et la monnaie unique. Or, les événements de l'été 1993, l'assouplissement des disciplines du SME, rendent peu probable l'achèvement de l'UEM avant l'an 2000, selon l'échéancier du traité de Maastricht.

De plus, les bouleversements de 1989-1991 devaient accoucher d'une Europe apaisée, réconciliée avec elle-même, donnant la priorité à un nouvel élan économique, intégrant les pays ex-socialistes dans les circuits mondiaux. Depuis l'été 1991, l'éclatement de la Yougoslavie, la guerre dans cette région montrent que plus de quarante ans d'unification européenne n'effacent pas les divergences nationales. Devant les engrenages de l'ex-Yougoslavie, l'Allemagne, se souvenant de sa division, privilégie le droit des peuples (slovène, croate, bosniaque) à disposer d'eux-mêmes, et la France le *statu quo* européen. La Communauté européenne, formidable mécanique pour faire travailler et vivre ensemble des peuples décidés à la paix, étale ses divisions et son impuissance face aux tragédies yougoslaves.

Le 22 juin 1993, à Copenhague, à l'initiative de la France, le Conseil européen adopte comme « action commune » de la PESC un projet de *Pacte pour la sécurité et la stabilité en Europe*. Il s'agit d'un exercice de diplomatie préventive : afin que des tragédies comme celles de l'ex-Yougoslavie ne se répètent pas, il s'agit, par une combinaison de négociations bilatérales et multilatérales, d'inciter les États d'Europe centrale et orientale à régler leurs problèmes de frontières (éventuellement avec des « rectifications mineures ») et de minorités, en leur reconnaissant des « droits collectifs ». La conférence préparatoire de ce processus, appelé à durer des années, se tient à Paris les 26 et 27 mai 1994. Les résultats ne vont guère au-delà de la procédure (mise en place de tables rondes régionales).

L'unification européenne met bien en lumière à la fois le changement considérable du rapport de la France au monde et, en même temps, la force de certaines permanences. La France a accepté et bien assumé le défi de l'ouverture, de la compétition, de l'interdépendance. En ces années 90, l'unification européenne, sa réussite, sa crise soulèvent, pour la France (et pour tous les autres États impliqués), des interrogations de fond : l'Europe unie mérite-t-elle, exige-t-elle de lui sacrifier la vision historique qu'a une nation d'elle-même ? La France peut-elle n'être qu'une province de l'Europe (l'Europe n'étant finalement qu'une petite province de la terre, confrontée à la vigueur de zones — Asie, d'abord — qu'elle dominait encore il y a quelques décennies) ?

Index des noms de personnes

Bibliographie

Documents officiels

Les Échanges commerciaux de la France, publication annuelle du Bureau d'analyse et de prévision de la Direction des relations économiques extérieures, CFCE-DREE, Paris.

Investir en France, rapport du groupe « localisation des investissements transnationaux », Commissariat général du Plan, La Documentation française, Paris, 1992.

L'Image de la France à l'étranger et ses conséquences, rapport de Claude Legros au Conseil économique et social (CES), Paris, 1993.

Ouvrages collectifs

Jean-Baptiste DE FOUCAULD (sous la direction de), *La France et l'Europe d'ici 2010,* Commissariat général du Plan, La Documentation française, Paris, 1993.

Emmanuel LE ROY LADURIE (sous la direction de), *Entrer dans le XXIe siècle, Essai sur l'avenir de l'identité française,* La Découverte/La Documentation française, Paris, 1990.

L'État de la France (publication annuelle depuis 1985), La Découverte, Paris.

Ouvrages généraux

Jean-François BENSAHEL, *La France ou la souveraineté menacée,* Odile Jacob, Paris, 1991.

Frédéric BOZO, *La France et l'OTAN. De la guerre froide au nouvel ordre européen,* Ifri/Masson, Paris, 1991.

Fernand BRAUDEL, *L'Identité de la France* (4 tomes), Arthaud, Flammarion, Paris, 1986-1987.

Élie COHEN, *Le Colbertisme « high tech »,* « Pluriel », Hachette, Paris, 1992.

Thierry GARCIN, *La France dans le nouveau désordre international,* Bruylant/L.G.D.J., Paris, 1992.

Gérard NOIRIEL, *La Tyrannie du national, le droit d'asile en Europe, 1793-1993,* Calmann-Lévy, Paris, 1991.

Christian SAINT-ÉTIENNE, *L'Exception française,* Armand Colin, Paris, 1992.

Dominique SCHNAPPER, *La France de l'intégration, sociologie de la nation en 1990,* Gallimard, Paris, 1991.

Dominique TADDÉI, Benjamin CORIAT, *Made in France, l'industrie française dans la compétition mondiale,* « Livre de Poche », Hachette, Paris, 1993.

Imprimé en France par I.M.E. - 25110 Baume-les-Dames
Dépôt légal n° 3240-09/1994
Collection n° 75 - Edition n° 01
14/4889/3